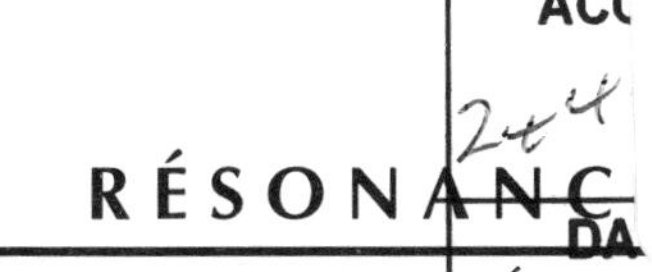

RÉSONANCES

Collection dirigée par Étienne CALAIS

Étude sur

Michel TOURNIER

Vendredi ou les limbes du Pacifique

(ou le roman initiatique)

par Fabienne ÉPINETTE-BRENGUES

Docteur en littérature française

Maître de conférences qualifié

Dans la même collection

Programme Premières 97/98

- Étude sur *Électre* de Giraudoux, par O. Got.
- Étude sur les *Fables* de La Fontaine, par P. Caglar.
- Étude sur *Les Confessions* (I-IV) de Rousseau, par D. Dumas.

Programme Terminales 97/98

- Étude sur *La vie est un songe* de Calderón, par A. et C. Horcajo.
- Étude sur *La Chute* de Camus, par F.J. Authier.
- Étude sur *Lancelot ou le Chevalier de la Charrette* de Chrétien de Troyes, par V. Boulhol.
- Étude sur *Éthiopiques* de Senghor, par A.-M. Urbanik-Rizk.

RÉSONANCES MÉTHODIQUES

- Enrichir son vocabulaire. Jeux et leçons de style (2des, Premières, Terminales), par J. Lambert.
- Rédiger avec élégance. Jeux et leçons de style (2des, Premières, Terminales), par J. Lambert.

Épreuves anticipées de français

- Le premier sujet : étude d'un texte argumentatif, par H. Marguliew.
- Le deuxième sujet : commentaire littéraire ou étude littéraire, par M. Bilon et H. Marguliew.
- Le troisième sujet : la dissertation littéraire, par P. Collet et O. Got.
- L'oral de l'épreuve anticipée de français (lecture méthodique, entretien), par P. Sultan.

Épreuves de Terminales

- Méthodologie de l'épreuve de Lettres des Terminales L et ES, par V. Boulhol.

RÉSONANCES HORS-PROGRAMME – ÉTUDES SUR…

• *Antigone* de J. Anouilh, par M.-F. Minaud • *Le Père Goriot* de Balzac, par A.-M. Lefebvre • *Les Fleurs du Mal* de Ch. Baudelaire, par M.-G. Slama • *La Modification* de M. Butor, par B. Valette • *La Machine infernale* de J. Cocteau, par D. Odier • *Jacques le Fataliste* de D. Diderot par D. Gleizes • *L'Amant* de M. DURAS, par D. Denes • *Amphitryon 38* de J. Giraudoux, par A. Faucheux • *La guerre de Troie n'aura pas lieu* de J. Giraudoux, par M. Brumont • *Dom Juan* de Molière, par O. Leplatre • *Le Misanthrope* de Molière, par P.-H. Rojat • *La Confession d'un enfant du siècle* de A. de Musset, par D. Pernot • *Sylvie, Aurélia* de G. de Nerval, par M. Faure • *Manon Lescaut* de l'Abbé Prévost, par P. Caglar • *Un amour de Swann* de M. Proust, par É. Jacobée • *Les Mains sales* de J.-P. Sartre, par J. Labesse • *Les Mouches* de J.-P. Sartre, par A. Beretta • *Le Parfum* de P. Süskind, par G. Bardet • *Un barrage contre le Pacifique* de M. Duras par Jean Bardet • *Poèmes saturniens* de P. Verlaine, par C. Dubois • *Les Nouvelles orientales* de M. Yourcenar, par C. Barbier.

ISBN 2-7298-6755-4

PRÉFACE

Parmi les machines à rêver créées par des écrivains, le Robinson inauguré par Defoe et poursuivi par Giraudoux (*Suzanne et le Pacifique)* et par Tournier (*Vendredi ou les limbes du Pacifique*) est sans doute l'un des plus féconds car il s'élève à la dimension du mythe.

C'est cette riche matière première que le présent ouvrage se propose d'explorer en revisitant l'œuvre de Defoe et surtout celle de Tournier dont la singularité à la fois séduisante et déconcertante est analysée dans tous ses états. Ce trousseau de clefs ouvre toutes les portes de l'œuvre, sans que jamais — nous l'espérons du moins — le plaisir de la lecture soit altéré.

Le lecteur diligent sera ainsi équipé, si nécessaire, pour aborder les exercices canoniques des épreuves de français auxquels l'œuvre de Tournier se prête sans mauvaise grâce.

E. Calais

Je tiens à remercier mon mari, Jacques BRENGUES,
Professeur des Universités (Rennes 2),
d'avoir bien voulu me permettre d'exploiter
sa théorie des ritèmes initiatiques pour la présente étude.
F.E-B.

Sigles de désignation des œuvres

(V) : *Vendredi ou les limbes du Pacifique* de Michel Tournier*

(VS) : *Vendredi ou la vie sauvage* de Michel Tournier

(RC) : *Robinson Crusoé* de Daniel Defoe

(VP) : *Le Vent Paraclet* de Michel Tournier

(VV) : *Le Vol du vampire* de Michel Tournier

(Mag L) : *Magazine littéraire* (dossier Tournier, n° 226, janvier 1986)

* Toutes nos références concernant *Vendredi ou les limbes du Pacifique* renvoient à l'édition folio, n° 959.

L'ŒUVRE ET SES CONTEXTES

I. CHRONOLOGIE : DE VENDREDI À LA FIN DE ROBINSON

DATE	VIE ET ŒUVRES	CONTEXTE LITTÉRAIRE
1924	19 décembre : naissance à Paris	
1928	Amygdalectomie*	Sartre : *La Nausée* Giraudoux : *Siegfried*
1932	Séjour en home d'enfants malades à Gstaad (Suisse)	
1932-41	Saint-Germain-en-Laye°	
1933-38	Collège Saint-Erembert de Saint-Germain-en-Laye et autres établissements religieux	1935 Gide : *Nouvelles Nourritures* Kafka : *La Colonie pénitentiaire*
1938-39	Interne à Alençon (classe de troisième)	1938 Giraudoux : *Cantique des cantiques*
1939-40	Seconde au lycée de Caen replié à Villers-sur-mer	
1940	Exode en Auvergne	
1940-48	Occupation de la maison de Saint-Germain par les nazis	1942 Gide : *Introduction au théâtre de Goethe* Bachelard : *L'eau et les rêves*
1941-42	Neuilly° : première et philo-lettres au lycée Pasteur (professeur : Maurice de Gandillac)	
1942	Presbytère désaffecté de Lusigny°. Vacances à Dijon, premier contact avec l'univers de la folie	
1942-45	Sorbonne : cours de Bachelard	1943 Bachelard : *L'air et les songes* Saint-Exupéry : *Le Petit Prince*
1944		Sartre : *Huis clos*
1945	Licence de philosophie	
1946	D.E.S. sur la philosophie de Platon : jury présidé par Raymond Bayer	Sartre : *L'existentialisme est un humanisme*

* Voir lexique, p. 91.

° Demeures de Michel Tournier.

1946-50	Université de Tübingen	1947 Camus : *La Peste* 1948-1954 Freud publication des principales œuvres (PUF)
1948-49	Musée de l'homme : Lévi-Strauss et Leroi-Gourhan	1948 Bachelard : *La terre et les rêveries du repos*
1949-50	Échec à l'agrégation de philosophie	1949 Lévi-Strauss : *Structures élémentaires de la parenté*
1950-54	Île Saint-Louis à Paris° – Chargé d'émissions à la Radio Diffusion Française – Traductions pour Plon	1951 Bachelard : *Poétique de l'espace* Gide : traduction du *Prométhée* de *Goethe*
1954	Avenue du Roule à Paris °	
1958	Europe 1 – Première version du *Roi des Aulnes*	
1961-66	Télévision Française	1961 Bachelard : *Flamme d'une chandelle*
1962	Installation définitive au Presbytère de Choisel – Début de rédaction de *Vendredi ou les limbes du Pacifique*	Lévi-Strauss : *La Pensée sauvage*
1963		Sartre : *Les Mots*
1964		Lévi-Strauss : *Le cru et le cuit*
1966	Décès de son père	
1967	*Vendredi ou les limbes du Pacifique* : Grand Prix de l'Académie Française	
1970	Prix Goncourt pour *Le Roi des Aulnes*	
1971	Voyage en Inde – *Vendredi ou la vie sauvage*	
1972	Nouvelle version de *Vendredi ou les limbes du Pacifique* – Élection à l'Académie Goncourt (Président Hervé Bazin)	
1973	Adaptation de *Vendredi ou la vie sauvage* au théâtre par Vitez	Jacques Chessex : *L'Ogre* (Prix Goncourt)
1975	*Les Météores* (roman)	Mort de Saint-John Perse
1977	*Le Vent Paraclet* (essai)	
1978	« La fin de Robinson » dans *Le Coq de bruyère*	Georges Perec, *La Vie, mode d'emploi*

II. THÉMATIQUE BIOGRAPHIQUE

Par thématique biographique nous entendons le relevé des éléments de la vie de Michel Tournier que l'on retrouve constitués en thèmes dans son œuvre et particulièrement dans *Vendredi ou les limbes du Pacifique*.

- **La religion catholique :** le catholicisme est une tradition familiale représentée par le grand-oncle maternel, Gustave Fournier (né en 1860), prêtre, de la Bible duquel Michel Tournier héritera en même temps que se révèle son attirance pour la religion catholique sous l'influence des collèges religieux qu'il fréquente. Un curieux et double symbole : **le presbytère** de Lusigny, près de Bligny-sur-Ouche (Côte d'Or), où la famille se retire pendant l'occupation nazie et le **presbytère** de Choisel acquis par la famille en 1957 dont Michel Tournier fera sa résidence en 1962 — et avec laquelle « il entretient des relations de type conjugal » (cf. *Le Vagabond immobile*), comme le fait Robinson avec sa grotte de Speranza. La Bible et les thèmes religieux sont fortement présents dans *Vendredi*.
- **L'exode et l'occupation nazie** : sans avoir connu directement l'exode de juin 1940, Michel vit comme une débâcle aventureuse et parfois piquante l'évacuation vers le sud, de l'école des Enfants de troupe de Billon — en Auvergne — où son père enseigne, et l'occupation de la maison familiale par la soldatesque allemande. Aventure et cocasserie que l'on retrouve dans l'appréciation par Robinson du chaos universel qui parfois semble s'installer dans Speranza.
- **La sœur aînée** : Jeanine, née en 1922, brillante à l'école, se trouve incarnée en Lucy (= lumière) dans l'hallucination d'un naufrage, présente mais inatteignable. Michel, lui, fut traité par son père (mort en 1966) de « brillant raté ».
- **L'ablation des amygdales** (amygdalectomie) (1929) : sans anesthésie, elle fut alors appliquée à toute une génération telle une sorte de rite de passage obligé, blessure symbolique comparable à la circoncision dans les traditions archaïques. On en trouve un écho dans *Vendredi* : « Robinson regarderait son corps quand il voudrait se souvenir des blessures infligées par la longue histoire de la construction de l'Évasion » (p. 35) ou « Vendredi acceptait d'avance la perspective de blessures nouvelles, voire mortelles » (p. 195) ou l'effet de la blessure « fulgurante » faite à Robinson par une « grosse araignée tachetée de rouge », blessure qui « revêt à ses yeux une signification morale indéniable » (p. 122).

• **Le petit malade** : « hypernerveux, se voit Michel Tournier enfant, sujet à des convulsions, un écorché imaginaire, perpétuellement en proie à des maladies, les unes classiques, d'autres totalement inédites » (VP, p. 17) — un état nosologique* nettement comparable à celui de Robinson, souffreteux, anxieux et souvent abattu, parfois d'un rien.

• **L'expérience de la solitude** : ce que Tournier en dit, de l'hiver 1931-32, quand il fut envoyé loin de sa famille, à Gstaad, en Suisse, dans un home pour enfants malades, s'apparente assez bien à la vie de Robinson solitaire en son île, surtout pour les restrictions de boisson qu'il y subit (VP, p. 17).

• **La mère** : Michel vit alors mal sa séparation d'avec sa mère, il la ressent comme « un arrachement », une « expulsion », un « immense et terrible désert » qui se poursuivra dans toutes les années d'enfance (VP, p. 24-25). On comprend que le solitaire de Speranza, au fond de sa grotte, soit « hanté par sa mère, femme ordinaire sauf pour ce qui concernait ses enfants » (p. 107), « maîtresse femme » (p. 39) mais « tout le contraire d'un monstre de sécheresse » (p. 107).

• **Le clown** : « Faire le clown — à l'instar de Grock —, ce fut pendant toute ma carrière scolaire mon seul recours, mon refuge » écrit Tournier (VP, p. 38). Robinson, à l'instar de Vendredi, voudrait aussi être une image de clown « couronné d'une guirlande de boucles [...] chaviré par la drôlerie de tout ce qu'il voit [...] la bouche sinueuse aux coins relevés, gourmande [...] le balancement de la tête sur l'épaule pour mieux rire [...] pour mieux dénoncer et dénouer ces deux crampes, la bêtise et la méchanceté » (p. 217).

• **La pharmacie du grand-père maternel** (Édouard Fournier) : Michel la voit comme « une vraie caverne d'alchimiste » (VP, p. 13) aussi vraie que la grotte de Robinson, lieu d'alchimie mentale et de métamorphoses spirituelles. Le grand-père paternel était « souffleur de verre », ce qui voulait dire autrefois « alchimiste ». Une telle généalogie semble avoir incliné l'esprit de Tournier vers les mutations psychiques d'autant plus que c'est le même grand-père Fournier qui, devenu ensuite directeur de la pharmacie de l'asile d'aliénés de Dijon, révélera à Michel « les problèmes de l'aliénation mentale » (VP, p. 82) : il y prendra le goût de la psychopathologie* et, plus tard, de la psychanalyse. À l'évidence, le « cas Robinson » relève de telles approches.

• **La germanistique** : tradition familiale commencée avec Gustave Fournier, professeur d'allemand, poursuivie par les parents de Michel Tournier tous deux anciens étudiants germanistes à la Sorbonne en vue de l'agrégation et de la licence. « C'est avec un pied en Allemagne que nous avons grandi » écrit-il (VP, p. 69) : en effet, chaque année, la famille passe les vacances d'été à Fribourg-en-Brisgau. Devenu traducteur pour les éditions Plon, Michel Tournier traduit des œuvres allemandes, notamment celles du romancier E.M. Remarque. À partir de 1946, il fait de nombreux séjours en Allemagne et fréquentera en 1949 l'université de Tübingen. Féru de culture germaniste, il commence dès 1958 la rédaction du *Roi des Aulnes*, titre d'une ballade de Goethe. Il paraît donc surprenant qu'avec un tel passé, Tournier troque, quatre ans plus tard, le modèle allemand pour un modèle anglais : *Robinson Crusoé* de Defoe — une sorte d'inversion qui annonce le choix de Vendredi contre Robinson dans le titre de Tournier : le romantisme exalté, violent, sauvage, « à l'allemande » de Vendredi contre la rigueur rationaliste et utilitariste de la logique anglaise (Robinson).

• **L'échec à l'agrégation de philosophie** : en 1949 et 1950. Contraint d'abandonner sa vocation de pédagogue, vocation « héritée » encouragée par ses parents, Tournier ambitionne de devenir écrivain. Il n'oublie pas pour autant la philosophie qui imprègne toute son œuvre. La nostalgie du métier de pédagogue s'exprime dans la relation de Robinson à Vendredi, le maître et le néophyte — relation qui s'inversera dans la seconde partie du roman, échec assumé.

• **Le Musée de l'homme** : dans les années 1946-50, Tournier fréquente le Musée de l'homme à Paris notamment pour y suivre les cours d'ethnographie de Lévi-Strauss sanctionnés par un certificat de spécialité. Il est clair que *Vendredi* est nourri de tout ce qu'il reçut alors comme données ethnographiques. C'est ainsi que la pêche au cerf-volant dans Vendredi (p. 205) lui a été enseignée par Leroi-Gourhan, autre ethnologue qui cherchait à dégager les significations des techniques dans les sociétés archaïques. À sa manière, Robinson dote aussi son île d'un Musée de l'humain (p. 66).

• **La licence en droit** (1945) : apparemment négligée dans sa biographie l'étude du droit a cependant laissé quelques traces dans l'élaboration du personnage de Robinson, administrateur de son île et auteur d'une charte de Speranza assortie d'un code pénal, en articles et scolies* (p. 71 à 78).

• **Les petits groupes** : Tournier en a le goût, il en expérimentera plusieurs dont celui des « **petits Saint-Just de l'esprit** », lors de ses années de préparation à la licence de philosophie, avec Butor, Deleuze, François Chatelet, tous ambitionnant « d'initier un jour les jeunes » (VP, p. 157-158) et **le petit groupe de l'île Saint-Louis** (une île !), très bohème et impécunieux. Cette semi-solitude va aboutir à la solitude de l'animateur de la radio s'exprimant pour la multitude : engagé à la Radio-Diffusion Française, à Europe 1 puis à la Télévision (de 1945 à 61), il se sent reconnu, dans la solitude de son studio, « comme un Dieu » (VP, p. 167). Dans la solitude de son île, Robinson a failli se croire Dieu (p. 174) et, par son *log-book**, il émet des messages confus vers une multitude indéfinie pour finalement : « tâtonner à la recherche de [lui-même] dans une forêt d'allégories* » (p. 232).

III. LE MODÈLE : RÉCIT DE DANIEL DEFOE, *ROBINSON CRUSOÉ*

Commentaire liminaire

Daniel Defoe s'inspire d'une histoire vécue par un marin nommé Alexandre Selcraig plus communément appelé Selkirk, engagé à Londres en 1703 sur le Cinq Ports, commandé par Thomas Stradling, pour donner la chasse aux galions espagnols. Fait prisonnier par des pirates, il est vendu à un boucanier français à Saint-Domingue. Après bien des péripéties, lors d'une relâche à Mas a Tierra, île de l'archipel Juan Fernandez situé au large des côtes du Chili, Selkirk l'explore en prenant soin d'en noter les ressources. Un présage, sous forme de rêve, lui avait annoncé une catastrophe pour le navire et son équipage. Quelque temps plus tard, il se trouve abandonné sur l'île Mas a Tierra par le commandant Stradling avec lequel les relations s'avéraient difficiles. Pour tout bagage, Selkirk conserve un coffre, un fusil, des munitions et une Bible — situation peu enviable mais finalement bénéfique — confirmation de ses prédictions. L'ironie du sort le sauva d'un péril certain, le navire étant devenu la proie des Espagnols, et l'équipage vendu comme esclaves, triste fin pour des marins.

Première partie (p. 45 à 110)[1]

Tempêtes

> Je me disais souvent que je vivais tout à fait comme un naufragé jeté sur quelque île déserte et entièrement livré à lui-même. Combien cela était juste, et combien tout homme devrait réfléchir que, tandis qu'il compare sa situation présente à d'autres qui sont pires, le Ciel pourrait l'obliger à en faire l'échange, et le convaincre, par sa propre expérience, de sa félicité première ; combien il était juste, dis-je, que cette vie réellement solitaire, dans une île réellement déserte, et dont je m'étais plaint devînt mon lot ; moi qui l'avais si souvent injustement comparée avec la vie que je menais alors, qui, si j'avais persévéré, m'eût en toute probabilité conduit à une grande prospérité et à une grande richesse. (p. 95)

En 1632, naissance à York de Robinson-Kreutznaer, futur Robinson Crusoé, dans une famille aisée, troisième enfant de la lignée. Robinson n'a qu'une seule pensée : « aller sur mer ». Malgré les augures paternelles lui prédisant : « qu'il sera la créature la plus misérable qui ait jamais été », Robinson s'embarque à bord d'un vaisseau, le 1er septembre 1651. Il se voit vite confronté à de **grandes épreuves**, la première étant la lutte contre une forte **tempête** : le vaisseau tangue autant que sa volonté : « je résolus [...] de retourner à la maison paternelle ». Mais le goût de l'aventure est le plus fort et Robinson doit essuyer une **deuxième tempête** dans la rade de Yarmouth. Il pense que sa fin est arrivée et s'évanouit ; un bâtiment secourt l'équipage sauvé avant que le navire ne sombre. Le capitaine l'invite à retourner chez lui, mais Robinson décide de s'embarquer à nouveau sur un vaisseau partant pour la côte d'Afrique. Il rencontre un capitaine qui lui propose de devenir son compagnon et d'effectuer le trafic de marchandises avec la Guinée. Mais le destin l'accable à nouveau : le capitaine meurt et Robinson effectue le voyage seul. Il ne tarde pas à se faire capturer par un corsaire turc de Sallé. Devenu misérable esclave, il est obsédé par le désir de s'enfuir. Cette tentative de recouvrer sa liberté est rendue possible quand, lors d'une pêche, il entreprend de s'évader en compagnie d'un **jeune garçon** nommé Xury qui l'assure de sa fidélité en échange de sa liberté. Après avoir navigué cinq jours durant, Robinson mouille son ancre

1. La division en « parties » n'appartient pas au texte de Daniel Defoe. Elle permet la comparaison avec la répartition des chapitres chez Tournier.

à l'embouchure d'une rivière où il aura à affronter des **bêtes sauvages**. Au cours de mouillages successifs, Robinson s'exerce à la chasse, tue un lion et un léopard. Il pratique l'échange avec les indigènes puis prend congé de ces « bons nègres ». C'est alors que la chance lui sourit : il est recueilli par un navire dont le capitaine lui propose de le conduire au Brésil. Robinson lui abandonne Xury pour argent comptant avec pour obligations de le rendre libre au bout de dix ans et d'en faire un bon chrétien. Au Brésil, Robinson devient planteur de cannes à sucre et fait fortune en quatre années. Il achète un **esclave nègre** et décide de se consacrer à la traite des Nègres. Il se trouve à nouveau embarqué sur mer le 1er septembre 1659. Le temps n'est guère clément : il dérive pendant douze jours. Surpris par une **troisième tempête,** il croit sa dernière heure venue. Contraint d'abandonner le navire, il gagne une chaloupe avec son équipage mais chavire. Une vague le jette contre un quartier de roc : évanoui, Robinson échoue sur la terre ferme avec comme seuls viatiques* un couteau, une pipe et un peu de tabac.

Deuxième partie (p. 110 à 265)

L'ÎLE DU DÉSESPOIR

> Par une étude constante et une sérieuse application de la parole de Dieu et par le secours de sa grâce, j'acquérais une science bien différente de celle que je possédais autrefois, et j'appréciais tout autrement les choses ; je considérais alors le monde comme une terre lointaine où je n'avais rien à souhaiter, rien à désirer ; d'où je n'avais rien à attendre, en un mot avec laquelle je n'avais rien et vraisemblablement ne devais plus rien avoir à faire. (p. 229-230)

Robinson passe sa première nuit sur un sapin épineux. Au matin, il aperçoit son bâtiment lamentablement échoué à deux milles de la côte. Son premier objectif est vite déterminé : récupérer les vivres du bateau et tout ce qui pourrait lui être utile pour assurer sa survie. Il construit un radeau pour y charger le plus grand nombre de provisions variées et des outils, armes et munitions. Robinson décide de reconnaître le pays où il a échoué afin d'y trouver un endroit favorable à son installation. Il réalise qu'il se situe sur une île inculte peuplée d'oiseaux. Il effectue plusieurs visites au bâtiment échoué puis poursuit son investigation de l'île : il y constate la présence d'un chat sauvage qui semble l'attendre. Au bout de treize jours et après douze visites à l'épave, Robinson essuie une nouvelle **tempête** et se résout à établir sa demeure sur l'île : il dresse une tente devant le creux d'un rocher qu'il entoure d'une palissade de protection. Derrière la tente, une **grotte** lui sert de cellier. Un jour de foudre, il comprend que la poudre qu'il détient risque d'exploser et la disperse en plusieurs paquets. Robinson vit de la chasse et découvre un troupeau de chèvres vivant librement sur l'île. Il se donne un calendrier en gravant sur un gros poteau les jours et les mois. Robinson n'est plus tout à fait seul, il a la compagnie d'un chien et de deux chats provenant du bateau. Par écrit, il fait le bilan de son aventure et entreprend de tenir le journal de ses occupations quotidiennes. Il baptise son île : « **L'île du Désespoir** ». Son journal, commencé en octobre, résume les récents événements de sa vie sur l'île. En avril, Robinson est une fois de plus accablé par le déchaînement des éléments naturels, **secousses telluriques*** et une **terrible tempête**. Il envisage alors de changer d'habitation. En mai, il tombe malade en proie à d'horribles visions. Il s'adresse alors à Dieu et lit la Bible. Ayant recouvré la santé, il dit sa première prière. En juillet, poursuivant l'investigation de son île, il découvre des plantes nouvelles. En août, il établit le calendrier de la saison des pluies. En septembre, l'encre commence à lui faire défaut. Il ensemence avec succès et construit une maison de campagne. Il complète son calendrier. Il s'aperçoit que l'île offre une multitude de tortues, de perroquets, de pingouins et de maintes autres espèces d'oiseaux. Il capture un jeune chevreau qu'il réussit à domestiquer. À sa troisième année sur l'île il récolte son blé et parvient pour la première fois à confectionner du pain. De boulanger, il se fait potier puis tente de construire un bateau pour fuir l'île. À cette fin, il abat un cèdre mais échoue : le bateau est trop lourd pour atteindre le rivage.

La quatrième année s'achève dans une parfaite autosuffisance économique. Ses réflexions le conduisent à la reconnaissance d'une divine Providence. Devenu charpentier de marine, il se fait aussi tailleur et se fabrique un parasol. La cinquième année s'achève par la construction d'une **pirogue** avec laquelle il s'aventure sur mer mais réalise vite son imprudence lorsqu'il subit des courants et des vents contraires qui l'éloignent du rivage. Il parviendra à regagner péniblement l'île, désormais décidé à ne plus courir de tels risques. À sa sixième année d'insularité,

Robinson mène une vie retirée, tranquille, « sédentaire » pourrait-on dire. Il se façonne une nouvelle **pipe.** Les années passant, les munitions commencent à manquer ; il troque la chasse pour l'élevage de chèvres capturées au piège. Robinson peut ainsi faire du beurre et du fromage. Il s'assimile à un roi entouré de ses courtisans, son chien et ses deux chats. Il s'arrête pour se contempler et se voit vêtu de hauts-de-chausse en peau de vieux bouc, de brodequins, d'un ceinturon de peau de chèvre, d'un baudrier*, corbeille sur l'épaule, mousquet en main, sous un parasol, « la moustache mahométane », une image qui restera dans l'iconographie* robinsonnienne.

Troisième partie (p. 265 à 325)

L'île visitée

> Je me croyais alors semblable à ces anciens géants qui vivaient, dit-on, dans des cavernes et des trous de rocher inaccessibles ; car j'étais persuadé que, réfugié en ce lieu, je ne pourrais être dépisté par les sauvages, fussent-ils cinq cents à me pourchasser ; ou que, s'ils le faisaient, ils ne voudraient point se hasarder à m'y donner l'attaque.
> Le vieux bouc que j'avais trouvé expirant mourut à l'entrée de la caverne le lendemain du jour où j'en fis la découverte. (p. 299-300)

Un jour, Robinson découvre l'empreinte d'un pied nu sur le sable. La terreur le gagne. Resté trois jours sans sortir de sa forteresse et après bien des supputations, il se rend à l'évidence : un homme a pénétré dans son territoire. Robinson craint alors de tomber sur des sauvages ou des cannibales. Un peu plus tard, il croit apercevoir une embarcation et constate, horrifié, à la pointe sud-ouest de l'île, que le sol est jonché de crânes, de mains, de pieds et d'autres restes humains, ainsi que la trace d'un feu. Durant deux années, il reste obsédé par l'idée d'avoir peut-être à tuer des sauvages s'il le fallait. Il installe un poste d'observation sur le versant de la colline et y tient faction pendant trois mois, mais en vain. À la réflexion, il modifie son jugement : après tout, ces indigènes sont victimes de leur culture. Il glorifie Dieu de l'avoir éclairé sur ce point sans pour autant chasser son inquiétude. Voulant procéder à la cuisson de ses pots et pipes dans une caverne, il y aperçoit la lueur de deux grands yeux brillants, ceux d'un bouc monstrueux agonisant de vieillesse. Robinson vient d'atteindre sa vingt-troisième année sur l'île quand, au mois de décembre, il perçoit la lueur d'un feu sur le rivage non loin de son habitation : autour du feu, neuf sauvages sont assis en rond, leurs deux pirogues halées sur le rivage. Au moyen d'une longue vue, Robinson observe leurs danses et gesticulations. Dès leur départ, il comprend quel fut leur atroce festin de chair humaine. Son envie de meurtre le reprend. En mai, au cours d'un ouragan nocturne, il entend, mêlés au fracas du tonnerre, plusieurs coups de canon. Pour signaler sa présence, il allume un feu en haut de la colline, inutilement car un navire est venu se briser sur les rochers. Ce naufrage éveille en lui l'ardent désir de se trouver un compagnon et, en effet, il découvre dans l'épave le corps d'un jeune garçon, mais sans vie, et dans ses poches quelques pièces et une pipe à tabac. Il y recueille en outre un chien, des tonneaux de liqueur, plusieurs coffres, de la poudre, des fusils et divers ustensiles.

Quatrième partie (p. 325 à 440)

Vendredi

> Jamais homme n'eut un serviteur plus sincère, plus aimant, plus fidèle que Vendredi. Sans passions, sans obstination, sans volonté, complaisant et affectueux, son attachement pour moi était celui d'un enfant pour son père. J'ose dire qu'il aurait sacrifié sa vie pour sauver la mienne en toute occasion. La quantité de preuves qu'il m'en donna mit cela hors de doute. (p. 339)

Une nuit de la saison pluvieuse, dans sa vingt-quatrième année de vie solitaire, Robinson se laisse aller à la méditation et fait un songe dans lequel il aperçoit onze sauvages débarquant en compagnie d'un autre sauvage, victime destinée à être tuée et mangée. Tout à coup, alors qu'ils s'apprêtent à l'égorger, ce dernier prend la fuite et accourt vers les fortifications de Robinson qui l'accueille en souriant : en guise de réponse, le sauvage s'agenouille devant lui, implorant son assistance. De serviteur, le sauvage devient pour Robinson un véritable compagnon, maître de son destin. Ce rêve jette Robinson dans un grand trouble au point de vouloir le réaliser. À cette fin, il fait le guet pendant un an et demi mais sans succès, son idée s'étant élargie au projet de se constituer deux ou trois esclaves. Un an et demi plus tard, une trentaine de sauvages débarquent à leur tour. Ils allument un feu, dansent tout autour et désignent deux victimes : la première est assommée et dépecée pendant que l'autre attend sa fin imminente mais, soudain, il se met à courir avec une grande vélocité, droit dans la direction de Robinson, trois hommes à sa poursuite. Robinson prend le parti de sauver la vie du sauvage, l'appelle et assomme le premier poursuivant puis fait feu sur le second qui menace sa vie. Le fuyard, pétrifié, s'agenouille et lui prête le serment d'être à jamais son esclave. Le sauvage assommé se réveille alors et le nouveau compagnon de Robinson lui tranche la tête à l'aide d'un sabre. Robinson le conduit dans sa caverne, lui offre de l'eau et du raisin : c'est un beau jeune homme svelte. Robinson envisage de lui apprendre à parler et le nomme Vendredi, jour où il lui a sauvé la vie. Le lendemain, Robinson décide de l'habiller car il est totalement nu, et aussi de l'armer. Revenant sur le lieu de l'horrible spectacle, ils y trouvent des restes humains sanglants. Robinson éduque Vendredi et lui désapprend le cannibalisme : il se révèle parfait élève, effrayé par les armes à feu et d'une naïve candeur. Malgré tout, la communication s'établit entre eux. Vendredi lui raconte son histoire et ils en viennent à évoquer Dieu. Durant trois ans, Robinson se sent parfaitement heureux en compagnie de Vendredi dont il poursuit l'éducation en lui décrivant notamment les différentes contrées de l'Europe.

Robinson lui montre les débris de la chaloupe de son dernier naufrage. Vendredi lui explique qu'il a sauvé des hommes blancs sur une chaloupe semblable et que ces hommes vivent toujours. Robinson commence alors à se méfier de Vendredi dont il craint le départ pour sa patrie. Robinson et Vendredi pensent gagner le continent avec une pirogue : Robinson enseigne au jeune sauvage la navigation à voile et tous deux préparent leur voyage. Un jour, Vendredi voit approcher à nouveau des sauvages en pirogue avec trois prisonniers dont un homme blanc. Après un combat sans merci, l'homme blanc, un Espagnol, est sauvé, et Vendredi réalise qu'un des prisonniers est son propre père ; il prend soin des autres et assure leur bien être. Robinson initie l'Espagnol à la vie insulaire. Le père de Vendredi et l'Espagnol sont chargés par Robinson d'aller chercher en terre ferme d'autres Européens et de les ramener sur l'île afin d'aider Robinson à construire un navire pour le retour. Peu de temps après, Vendredi aperçoit un bâtiment anglais à l'ancre près du rivage. Robinson l'observe avec méfiance. Onze hommes débarquent sur l'île dont trois garrottés. Robinson leur fait face, l'un des prisonniers lui raconte que son équipage s'est mutiné et qu'il a obtenu à grand peine la possibilité d'être déposé sur cette île déserte. Robinson promet aux prisonniers leur libération en échange du commandement du navire, ajoutant deux conditions : ne prétendre à aucune autorité sur l'île, n'y commettre aucun préjudice et transporter enfin Robinson et son serviteur en Angleterre. Grâce au plan de Robinson l'équipage mutiné promet de se rendre et dépose les armes ; le plein succès de cette entreprise met Robinson au comble de la joie. De leur côté, les mutins décident de rester volontairement sur l'île plutôt que d'être transférés en Angleterre et pendus. Robinson leur annonce qu'ils doivent attendre des Espagnols et leur fait promettre de fraterniser avec eux.

Cinquième partie (p. 441 à 481)

Le retour et les dernières tribulations

> J'étais assez accoutumé à la mer et pourtant je me sentais alors une étrange aversion pour ce trajet [vers l'Angleterre] ; et, quoique je n'en eusse pu donner la raison, cette répugnance s'accrut tellement, que je changeai d'avis, et fis rapporter mon bagage embarqué pour le départ, non seulement une fois, mais deux ou trois fois. Il est vrai que mes malheurs sur mer pouvaient bien être une des raisons de ces appréhensions. (p. 455)

Robinson abandonne son île le 19 décembre 1686 après y être demeuré vingt-huit ans deux mois et dix-neuf jours. Il arrive en Angleterre le 11 juin 1687, après une absence de trente-cinq années. À son retour, il apprend que ses parents sont morts et qu'une grande partie de sa famille s'est éteinte sauf deux sœurs et deux enfants de l'un de ses frères. Commence alors une série de tribulations qui conduisent Robinson à Lisbonne, au Brésil, à Madrid. En Espagne, il subit une tempête de neige au cours de laquelle il doit faire face à une horde de loups et à un ours. Son errance se poursuit jusqu'à Toulouse, Paris, Calais, Douvres enfin. Installé en Angleterre, Robinson prend sous sa tutelle ses deux neveux et assure leur éducation et leur fortune. Il se marie et aura trois enfants. Sa femme décède et il reprend son rêve de courir le monde. En 1694, il s'embarque sur son propre navire marchand et part pour les Indes orientales. Au cours de ce voyage, il visite **son** île et apprend des nouvelles de « sa colonie » : il y a eu des brouilles entre les Espagnols et les mutins, de la violence et des réconciliations avec l'arrivée de femmes et d'hommes prisonniers. Robinson organise alors la vie de la colonie en la peuplant et en y implantant des élevages.

L'ŒUVRE EN EXAMEN

I. RÉCIT DE MICHEL TOURNIER : RÉSUMÉ ET PISTES D'ANALYSE

Chapitre I (p. 15 à 25)

> Lorsque Robinson commença à redescendre vers le rivage d'où il était parti la veille, il avait subi un premier changement. Il était plus grave — c'est-à-dire plus lourd, plus triste — d'avoir pleinement reconnu et mesuré cette solitude qui allait être son destin pour longtemps peut-être. (p. 19)

La tempête a porté Robinson sur la plage d'une île qu'il croit être Mas a Tierra ou quelque autre inconnue des cartes. Pour s'en assurer, il entreprend l'exploration de l'île dans des conditions difficiles, à travers une forêt dense. Aucun signe de vie sinon la rencontre avec un bouc sauvage qu'il tue par une peur superstitieuse. Constatant son extrême solitude, il met son salut dans la venue éventuelle de secours qu'il guette en une attente passive jusqu'à l'hallucination. Robinson craint de perdre l'esprit et décide de réagir en explorant l'épave de la *Virginie* brisée sur les récifs de l'île. Il en soutire ainsi tout ce qui lui paraît utile notamment le nécessaire à la construction d'une embarcation qu'il nomme symboliquement l'*Évasion.*

Chapitre II (p. 26 à 42)

> L'*Évasion* était terminée mais la longue histoire de sa construction demeurait écrite à jamais dans la chair de Robinson. Coupures, brûlures, estafilades, callosités*, tavelures* indélébiles et bourrelets cicatriciels racontaient la lutte opiniâtre qu'il avait menée si longtemps pour en arriver à ce petit bâtiment trapu et ailé. À défaut de journal de bord, il regarderait son corps quand il voudrait se souvenir. (p. 35)

Encouragé par la lecture de la Bible, le quaker* Robinson se met au travail sans vis, ni clous, sans scie. Le corps nu, il ressent cruellement dans sa chair les effets des intempéries et de l'ardeur du soleil, passant de l'exaltation un peu folle à l'abattement profond. La visite de Tenn, le chien rescapé de la *Virginie,* eût pu le réconforter mais celui-ci s'enfuit, effarouché. Inconscient du temps qui passe, il décide de marquer chaque jour d'une encoche un arbre, en guise de calendrier. Dans l'impossibilité de mettre à l'eau l'*Évasion*, Robinson renonce et, devenu une sorte d'animal blessé, il se plonge à l'instar de hardes de pécaris*, dans une souille* croupissante pour s'abandonner à des souvenirs d'enfance et à des méditations sur la vie, au point d'avoir une hallucination qui le précipite à la mer pour rejoindre sa sœur Lucy, morte adolescente, dont il croit apercevoir la silhouette sur un illusoire galion. Cette épreuve le conduit à la décision de reprendre en main son destin et de « consommer ses noces avec son épouse implacable, la solitude ».

Chapitre III (p. 43 à 70)

> Il décida que l'île s'appellerait désormais Speranza [...] Il lui semblait d'ailleurs, en regardant d'une certaine façon la carte de l'île, qu'elle pouvait figurer le profil d'un corps de femme sans tête, une femme, oui, assise les jambes repliées sous elle, dans une attitude où l'on n'aurait pu démêler ce qu'il y avait de soumission, de peur ou de simple abandon. (p. 46)

Fuyant l'animalité, Robinson s'humanise entreposant dans la grotte centrale de l'île les derniers vestiges de l'épave, en revenant à l'écriture dans un *log-book** de méditations et de souvenirs, en s'efforçant de mesurer le temps, en se consacrant à l'agriculture et à l'élevage de chèvres. Mais l'angoisse entretenue par un environnement animal répugnant — vampire, poulpe, vautours — le conduit à nouveau à la souille* : il s'y voit comme un nouveau-né, entouré de sa mère et de Lucy. De ce moment, le recours au *log-book** lui devient aussi indispensable que sa vie même qu'il organise en homme civilisé avec le retour de Tenn et la construction d'une maison édifiée en sanctuaire, sorte de « musée de l'humain » où il ne pénètre avec solennité qu'en habit. Il creuse une pirogue monoxyle* dans un arbre pour pagayer autour de l'île et surtout il s'installe une manière de clepsydre* pour se rendre maître du temps, y ajoutant un « Conservatoire des poids et mesures ». L'île est prête pour être « administrée ».

Chapitre IV (p. 71 à 100)

> Il y avait quelque chose d'heureux suspendu dans l'air, et, pendant un bref instant d'indicible allégresse, Robinson crut découvrir une *autre île* derrière celle où il peinait solitairement depuis si longtemps, plus fraîche, plus chaude, plus fraternelle, et que lui masquait ordinairement la médiocrité de ses préoccupations. (p. 94)

« L'administration » de l'île commence par la promulgation d'une Charte et d'un Code pénal que viendra compléter un additif déclarant l'île « place fortifiée », rédigé sous le coup d'un débarquement d'étrangers à l'île, une quarantaine d'Araucariens* venus pour se livrer à une cérémonie rituelle et sanglante. Robinson entreprend alors de dresser des fortifications tout autour de son habitation, après quoi il procède à sa première panification qui lui remémore des « secrets honteux » de sa petite enfance. Toutes choses faites pour protéger en lui la formation d'un homme nouveau resté cependant sensible à la nature sauvage de l'île : bruits et cris d'oiseaux ou luttes brutales entre rats. Narcisse* au miroir, il se voit défiguré, ayant perdu la faculté de sourire que paradoxalement Tenn lui rendra par l'exemple. Cherchant à organiser son emploi du temps quotidien, il constate l'arrêt de sa clepsydre*, un incident qui lui donne la conscience de la maîtrise du temps sur l'île qu'il peut suspendre désormais à sa guise au point d'en ressentir une sorte d'extase qu'il nomme « un moment d'innocence ». C'est à ce moment que Robinson décèle vaguement l'existence d'une « autre île » dans l'île même. Conscient de l'évolution de sa métamorphose, il croit pouvoir atteindre au secret interne de l'île.

Chapitre V (p. 101 à 122)

> La nature avait-elle été modelée par un Dieu infiniment sage et majestueux ou par un démiurge* baroque* poussé aux plus folles combinaisons par l'ange du bizarre. (p. 120)

Speranza devenue une « personne » conduit Robinson à des « spéculations sur la nature féminine de l'île qu'il pénètre par la grotte :

bouche, œil ou quelque autre orifice naturel ». Allant jusqu'au bout de son exploration, il arrive au fond d'un boyau où il fait l'expérience contrastée des ténèbres et du retour à l'état fœtal au creux de l'île-mère, ce qui le ramène, par le souvenir, au « monde endormi de son enfance ». De retour au jour, il reçoit la lumière du soleil comme une épée de feu. Enfant de l'île, il se met à la téter, en vagissant, à un mamelon suintant l'eau, cette même eau qui pourrait servir à l'implantation de rizières dont il rêve. Fasciné par les mœurs nuptiales d'un insecte par fleur interposée, Robinson fait à son tour un « retour aux sources végétales de la vie » par une liaison intime avec un arbre-femme, à laquelle l'agression douloureuse d'une araignée mettra fin.

Chapitre VI (p. 123 à 138)

> Chacun de ses gestes, chacun de ses travaux était un appel lancé vers quelqu'un et demeurait sans réponse. (p. 124)

L'aventure de la rizière, par sa vanité, laissera Robinson pantelant. Un moment découragé, il se reprend « tout en guettant en lui-même les symptômes de sa métamorphose ». Un nouveau moment d'innocence le projette dans « l'autre île » en une étreinte folle avec la terre nue, au milieu d'une « combe* rose ». Encouragé par l'acquiescement unanime de la végétation et par la lecture du *Cantique des cantiques,* Robinson poursuit sa relation avec Speranza au point de donner naissance à ses plantes-filles, des mandragores*.

Chapitre VII (p. 139 à 156)

> Alors Vendredi rit, il éclate d'un rire redoutable, un rire qui démasque et confond le sérieux menteur dont se parent le gouverneur et son île administrée. (p. 149)

Robinson ajoute à son administration de l'île un ordre moral qu'il inscrit dans des devises dispersées çà et là. C'est alors que survient une seconde intrusion d'Araucariens* pour une cérémonie rituelle comparable à la précédente sauf que la victime désignée s'enfuit vers Robinson qui cherche alors à l'abattre mais le coup est dévié par Tenn laissant la vie sauve au fugitif. Pour s'être bien tiré de cette aventure, Robinson retrouve la faculté de rire qu'il avait perdue, un rire fou qui trouve une réplique joyeuse dans le rire de l'Araucan* découvrant l'état de l'*Évasion* dévorée par les termites. Désormais, plus de fuite possible et Robinson s'installe dans une situation de maître à esclave avec celui qu'il nomme Vendredi, un nom pour « une entité à demi-vivante, à demi-abstraite ». Vendredi se révèle si intelligent, si ingénieux, si habile que Robinson éprouve une honte monstrueuse à lui infliger une autorité excessive.

Chapitre VIII (p. 157 à 184)

> l'ère de l'île-épouse — qui succédait à l'île-mère, elle-même postérieure à l'île administrée — vient à son tour de prendre fin, et [...] le temps est proche de l'avènement de choses absolument nouvelles, inouïes et imprévisibles. (p. 180)

De retour d'une nouvelle visite à la « combe* », Robinson constate l'arrêt de la clepsydre*. Vendredi apporte dans l'île une sorte d'anti-administration par ses activités ludiques *: habiller des cactus comme des hommes, folâtrer avec Tenn, s'amuser des ricochets de galets sur l'eau morte de la rizière où Tenn faillit se noyer à leur poursuite, se déguiser en homme-plante. Robinson ne peut que constater les résultats désastreux ou surprenants des activités de Vendredi : la rizière asséchée pour sauver Tenn, la dispersion de choses insolites dans une partie de l'île, des saules déracinés et plantés « à l'envers » et autres désordres, tout un univers secret étranger à Robinson — et surtout l'apparition de mandragores* « rayées ». La « sauvagerie » de Vendredi se révèle aux yeux effarés de Robinson par l'étrange massacre d'une tortue pour en récupérer la carapace-bouclier, par l'absorption d'asticots vivants et finalement par la découverte du sacrilège absolu de Vendredi dans la combe* rose. Déjà furieusement enragé de tant de désordres, Robinson, dans une colère sacrée, inflige à Vendredi une terrible correction. En même temps que s'explique les zébrures des mandragores, un « autre Vendredi » se révèle à Robinson. Dans son rôle d'ange dévastateur, Vendredi finira par faire exploser l'île accidentellement.

Chapitre IX (p. 185 à 214)

> Un nouveau Robinson se débattait dans sa vieille peau et acceptait à l'avance de laisser crouler l'île administrée pour s'enfoncer à la suite d'un initiateur irresponsable dans une voie inconnue. (p. 189)

L'explosion suivie d'une autre a détruit tout le domaine de Robinson sauf quelques objets. Tenn a péri sans doute de frayeur. Le grand cèdre, déraciné, s'effondre. Le rapport entre les deux hommes s'inverse. Vendredi devient bien le « maître » initiateur de Robinson : initiation à la nudité et à l'exercice du corps tandis que Vendredi se livre librement à ses activités archaïques* : confection de flèches, lutte avec les boucs notamment avec un gros bouquetin baptisé Andoar. Vendredi en ressortira vainqueur décidé à faire « voler et chanter » la dépouille d'Andoar sous la forme d'un cerf-volant et d'une harpe éolienne*. Robinson fait l'expérience de l'escalade d'une falaise et d'un grand arbre pour surmonter son vertige ou participer à la fonction de l'arbre. Devenus libres et égaux, Robinson et Vendredi s'adonnent à des jeux plus subtils de communication par mannequin et statue interposés ou par jeux de rôles inversés. Robinson reprend alors la rédaction de son *log-book** troquant sa plume de vautour pour une plume d'albatros.

Chapitre X (p. 215 à 232)

> [...] Je tâtonne à la recherche de moi-même dans une forêt d'allégories*. (p. 232)

Chapitre entièrement consacré au *log-book* * en onze journées de rédaction (voir plus loin « Un parcours philosophique », p. 44).

Chapitre XI (p. 233 à 247)

> Il était d'une jeunesse minérale, divine, solaire. Chaque matin était pour lui un premier commencement, le commencement absolu de l'histoire du monde. (p. 246)

Une goélette anglaise, le *Whitebird*, vient mouiller dans la baie du Salut. Robinson, invité par le commandant, se rend compte de son incapacité mentale à rentrer en Angleterre et décide de rester vivre sur son île. Il regagne Speranza avec Vendredi mais, malgré sa joie, « se sent vieilli, comme si la visite du *Whitebird* avait marqué la fin d'une longue et heureuse jeunesse ».

Chapitre XII (p. 248 à 254)

> Allait-il falloir tout recommencer [...] ? Quelle dérision ! En vérité il n'y avait plus d'alternative qu'entre le temps et l'éternité. L'éternel retour, enfant bâtard de l'un et de l'autre n'était qu'une vésanie*. (p. 251)

Le *Whitebird* parti, Robinson découvre au matin la disparition de Vendredi. Désespéré, il se décide à mourir au creux même de Speranza entre les blocs rocheux restés sur le lieu de l'explosion. Mais il y trouve, recroquevillé, le petit mousse du *Whitebird* qui a fui ses pénibles conditions de vie sur le bateau :

> « Viens avec moi lui dit Robinson.
>
> – Comment t'appelles-tu ? lui demanda Robinson.
>
> – Je m'appelle Jaan Neljapäev.
>
> – Désormais lui dit Robinson, tu t'appelleras Jeudi ».

II. DE DEFOE À TOURNIER

A. L'inversion

Michel Tournier raconte (Mag L, p. 20) qu'ayant suivi pendant deux années les cours de Lévi-Strauss au Musée de l'Homme, il tomba par hasard sur une nouvelle édition d'un livre devenu introuvable à l'époque, *Robinson Crusoé* de Daniel Defoe : « Je l'ai lu tout en gardant à l'esprit ce que j'avais appris sur l'ethnographie*, le langage, la notion de sauvage et celle de civilisé. Et je me suis dit : voilà le sujet. Il faut faire un nouveau Robinson Crusoé en tenant compte des acquisitions de l'ethnographie*. »

Parmi ces données, il y a lieu de faire une place à part au phénomène initiatique propre aux civilisations archaïques* : « **l'initiation**, un mot qui ne [le] quittera plus » (VP, p. 49). Le nouveau **Robinson** de Tournier sera donc initiatique et sous un titre original : *Vendredi ou les limbes du Pacifique.* À l'évidence, par ce titre, Tournier cherche à se démarquer d'emblée de Defoe. Par **une inversion**, le personnage principal placé en tête paraît être Vendredi. Pour autant, Robinson n'est ni relégué, ni occulté : il se dissimule sous la seconde partie du titre, *les limbes du Pacifique* — la conjonction **ou** introduisant l'alternative (soit/soit) et non l'assimilation du second terme au premier. Cette disjonction exclusive est confirmée par le roman même de Tournier, Robinson dit (V, p. 129-130) :

> Quoi que je fasse, je n'empêcherai pas que dans l'esprit de la totalité des hommes, il y a l'image du cadavre de Robinson. Cela seul suffit — non certes à me tuer — mais à me repousser aux confins de la vie, dans un lieu suspendu entre ciel et enfers, dans les limbes, en somme. *Speranza ou les limbes du Pacifique...*

À ce moment du texte, Vendredi n'est pas encore là, il n'apparaît qu'au chapitre VIII (V, p. 143).

Il reste que Tournier a cherché une telle inversion : « Mon propos était de faire un roman où Vendredi jouerait un rôle important et même à la fin, primordial ».

De Vendredi « réduit à néant, simple réceptacle » dans le roman de Defoe, Tournier fera un faire-valoir pour Robinson. Facteur de changement progressif après le bouleversement provoqué par l'explosion, **Vendredi va faire figure de maître, d'initiateur, de guide — de frère enfin**, jusqu'à la gémellité* finale — ce qui n'empêchera pas la trahison, le départ de Vendredi. On est évidemment loin du Robinson « colonisateur » de Defoe. L'inversion dans le projet est très claire pour Defoe, maintenir la suprématie de la race blanche, de civilisation occidentale, chrétienne et surtout anglaise ; pour Tournier, défaire l'île administrée et la refaire autrement avec « un nouveau langage, une religion nouvelle, des arts nouveaux, des jeux nouveaux, un érotisme nouveau ».

B. Prologue et *log-book**

Inversion ne signifie pas rejet : structurellement, Tournier suit son modèle. Certes, son prologue — étrange — est une pure création. On peut cependant en trouver l'idée chez Defoe : le père de Robinson Crusoe ne prédit-il pas à son fils sur le départ pour l'aventure océane, « qu'il sera la créature la plus misérable qui ait jamais été » (RC, p. 53). Cette prédiction en forme de malédiction n'a pas le sens fatal de celles de Pieter Van Deyssel, annonciatrices de grandes difficultés, même « le danger de mort » (V, p. 12). Le prologue de Tournier introduit cependant une inversion majeure : relevant de l'imaginaire : avec Defoe, on est dans le reportage, avec Tournier, on est dans la fiction et l'irrationnel.

Le *log-book** a sa source chez Defoe qui fait tenir par son héros un journal des événements au quotidien. Le caractère spéculatif* des *log-books** de Tournier n'y est pas. Cependant, *Les Réflexions sérieuses de Robinson Crusoé* de Defoe, parues en 1720, conduisent quelque peu Robinson Crusoé vers une préfiguration du spéculatif* analytique propre au roman de Tournier.

Le prologue, inducteur* d'une mise en abyme* par le tarot, est ce qu'il y a de plus original dans *Vendredi ou les limbes du Pacifique*. Pour la suite, les 2e, 3e, 4e (partiellement) parties de Defoe se retrouvent chez Tournier (261 pages chez Defoe/254 pages chez Tournier).

Tournier reprend en les rendant significatifs certains faits du *Robinson* de Defoe :

CHANGEMENTS	
DEFOE	**TOURNIER**
• le bouc monstrueux agonisant dans la grotte	• le bouc « satanique » tué par Robinson
• l'empreinte du pied d'un inconnu	• l'empreinte supposée du propre pied de Robinson
• Robinson prend le parti immédiat de sauver Vendredi	• Robinson cherche d'abord à abattre Vendredi
• La mésaventure maritime avec la pirogue	• La semi-noyade de Robinson dans l'épisode de Lucy
• Robinson fabrique ses pipes	• Robinson conserve la pipe de Van Desseyl
• 19 décembre **1687** : Robinson quitte son île	• 19 décembre **1787** : arrivée du *Whitebird*

Ainsi Tournier dramatise le texte de Defoe et accentue le caractère « sauvage » — par inversion — du prétendu civilisé Robinson.

Tournier écarte certains faits ou épisodes de Defoe :

ABANDONS	
DEFOE	**TOURNIER**
• présence de plusieurs chats	• aucun chat
• les activités manuelles de Robinson	• moins diversifiées
• le naufrage du navire : deuxième épave	• « abandon »
• le songe prémonitoire de Robinson	• « abandon »
• la décapitation d'un sauvage par Vendredi	• « abandon »

Tournier élimine donc ce qui ne lui paraît pas servir les caractères des personnages ou la quiète ambiance de l'île. Ainsi le songe de Robinson aurait fait double emploi avec le prologue au tarot.

C. Les parcours

Malgré les transformations ou les omissions, la toile de fond reste la même. Ce sont les additions de Tournier qui donnent son véritable sens au **nouveau Robinson**. Ces additions, Tournier les fait résumer par Robinson lui-même vers la fin de son roman, quand Robinson fait un retour sur sa vie dans l'île :

> [...] il embrassait d'une vision panoramique toute sa vie dans l'île, l'*Évasion*, **la souille***, **l'organisation** frénétique de Speranza, **la grotte, la combe,** la survenue de Vendredi, **l'explosion,** et surtout cette vaste plage de temps, vierge de toute mesure, où **sa métamorphose solaire** s'était accomplie dans un calme bonheur. (V, p. 234)

L'invention de la souille, outre son pittoresque, montre jusqu'à quelle déchéance animale peut descendre un homme, surtout par l'effet de la solitude absolue. Elle révèle la démence abandonnique* de Robinson qui s'y réfugie, autant qu'il se terre dans son passé : père, mère, sœur. La souille participe à sa régression vers la petite enfance émiettée par Tournier selon une conception psychanalytique si primaire qu'elle frise parfois la parodie, davantage encore dans l'épisode de la grotte où Robinson fait un retour symbolique à la matrice originelle au risque même de l'inceste. Et c'est surtout cet aspect particulier qui ajoute le plus au texte de Defoe : la formation en psychopathologie* de Tournier l'a aidé à dresser un tableau quasiment clinique* de la démesure de Robinson, excès qui, semble-t-il, voile une homosexualité latente* au point que Robinson s'en étonne

« s'avisant que pas une seule fois Vendredi n'a éveillé en lui cette tentation » (V, p. 229).

Les parcours philosophique et initiatique (voir *infra*) corrigent à la fois le caractère lancinant de la sexualité dans le texte de Tournier et le caractère prosaïque* du texte de Defoe. Le Robinson de Tournier pense plus que celui de Defoe qui reste assez fruste, préoccupé au premier chef de sa survie, offrant au demeurant une humanité plus réelle que dans le roman de Tournier dont le projet est plus philosophique que réaliste :

> J'ai voulu que Robinson s'aperçoive de **l'absurdité** de son propos et que ce sentiment ronge en quelque sorte sa construction de l'intérieur. Et qu'ensuite Vendredi surgisse pour tout anéantir. (Mag L)

L'absurdité atteint des sommets avec l'idée de la Charte, véritable texte concentrationnaire* pour un homme seul (V, p. 72) !

Tournier a transformé le récit de Defoe en **un roman de l'absurde**, peut-être un des derniers. N'aurait-il pu placer, en épigraphe* de son roman, celle de Camus pour *La Peste* et qui est précisément de Daniel Defoe :

> Il est aussi raisonnable de représenter une espèce d'emprisonnement par une autre que de représenter n'importe quelle chose qui existe réellement par quelque chose qui n'existe pas.

Le Robinson de Tournier est un personnage métaphysique dans un **roman métaphysique**. La métaphysique n'est-elle pas elle aussi dans les *limbes**, et, par étymologie : « après les choses naturelles », en marge de toute science, en bordure de toute connaissance ?

III. STRUCTURES PLURIELLES

Le roman de Tournier donne l'impression d'un certain désordre narratif et structurel que seule l'analyse permet de dissiper au point d'y découvrir selon Arlette Bouloumié (p. 44) une « architecture savante » à laquelle l'auteur lui-même oppose pourtant une structure simpliste, bipartite (VP, p. 232) :

1. avant l'arrivée de Vendredi (142 pages),
2. après son arrivée (111 pages).

Un déséquilibre de composition corrigé par le titre qui donne l'avantage à Vendredi. La dichotomie* entre 1 et 2 souligne l'opposition entre les deux personnages (civilisé/sauvage), entre ordre et désordre, entre solitude et promiscuité, entre la rationalité et l'irrationnel.

Cette dualité s'articule cependant autour d'une ligne conductrice continue représentée par la série des *log-books** qui, malgré leur unicité formelle, introduisent semblable structure binaire entre l'auteur/narrateur et le personnage introspectif et spéculatif, entre Robinson-objet et Robinson-sujet.

A. La mise en abyme*

Se contenter de cette structure en parties doubles, c'est oublier notamment ce qui introduit le roman : l'étrange prologue (p. 7 à 14) dont la structure même préfigure celle du roman en son entier — comme certaines ouvertures d'opéra. Robinson en révèle la clé quand lui-même cherche à structurer son histoire à partir des prédictions que Pieter Van Deyssel prétendait lire sur les cartes d'un tarot (V, p. 228). Cette structure est en propre ce que l'on appelle la **mise en abyme*** : Arlette Bouloumié l'a particulièrement étudiée dans son ouvrage critique sur **Vendredi**. Il en résulte une structure en six phases mettant en relation de mise en abyme* les tarots du prologue et un ou plusieurs chapitres du roman :
– par exemple, d'une part, l'arcane 9 de l'Ermite et d'autre part, les chapitres V et VI annoncés sentencieusement par Pieter Van Deyssel : « il s'est retiré au fond d'une grotte pour y retrouver sa source originelle » (V, p. 8) ;
– autre exemple : l'arcane 21 dite du « Chaos » par Pieter Van Deyssel, illustration symbolique du chapitre VIII (l'explosion de la grotte) ainsi préfiguré par le capitaine de la Virginie :

> La bête de la Terre est en lutte avec un monstre de flammes. L'homme que vous voyez pris entre des forces opposées est un fou reconnaissable à sa marotte. On le deviendrait à moins. (V, p. 9)

Qui nierait la démence de Robinson ? pas même lui. N'écrit-il pas :

> Je suis saisi de pitié devant cet enfant livré sans défense [Vendredi] sur une île déserte à toutes les fantaisies d'un dément. (V, p. 155)

Le recours à la mise en abyme paraît assez convaincant. Elle justifie au moins la présence d'un prologue ajouté d'emblée au modèle anglais : Tournier donne ainsi une structure et un sens — celui d'un destin — à son roman.

Les autres structures repérées par la critique n'éclairent pas le texte de la même manière :
– **structure binaire** répartie de part et d'autre d'une **crise** représentée par la destruction de l'île administrée ;
– **structure ternaire :** l'île niée/l'île administrée/l'île solaire ;
– **structure quadripartite :** (1) début, (2) vie solitaire, (3) vie avec Vendredi, (4) reprise du contact avec la vie civilisée.

En revanche, Tournier suggère, par Robinson interposé, une structure plus originale dite **circulaire :**

> Peut-être cette chronique [le *log-book*] dans laquelle j'étais embarqué aurait-elle fini après des millénaires de péripéties par « boucler » et par revenir à son origine. Mais cette **circularité du temps** demeurait le secret des dieux, et ma courte vie était pour moi un segment rectiligne dont les deux bouts pointaient absurdement vers l'infini [...] Pour moi désormais, le cycle s'est rétréci au point qu'il se confond avec l'instant. Le mouvement circulaire est devenu si rapide qu'il ne se distingue plus de l'immobilité. [...] Il me semble revivre sans cesse la même journée [...]. Dès lors n'est-ce pas dans l'éternité que nous sommes installés, Vendredi et moi. (V, p. 218-219)

B. Le dédoublement

En fait, une structure sans incidence sur l'économie* du roman. Plutôt une référence constante sous-jacente au texte. Le texte de Tournier semble soumis à un schème* structurant qui apparaît dans la pluralité de mini-structures fondées sur une vision dédoublée des choses, des êtres ou des situations :
– **dédoublement personnel** : l'administrateur/l'administré ;
– **thématique antithétique** : la souille/l'île administrée ; le vice/la vertu (V, p. 50) ; la parole/le silence (V, p. 84) ; le sexe/la mort (V, p. 130) ; le soleil/la lune (V, p. 225-230) ;
– **dialectique* entre le vécu en continu et la tenue périodique du *log-book** ;*

– **la mise en abyme*** : l'autre île dans l'île ;
– **le double** : les jumeaux.

Le dédoublement prend un tour obsessionnel fortement symbolique dans le désir de Robinson d'un autrui — lui-même au fond — que la venue de Vendredi satisfera jusqu'à la réalisation d'un couple gémellaire.

Le temps, pour Robinson, se dédouble à l'occasion d'un événement : la conscience du présent le renvoie au passé :
– exemple : « La solitude et moi, nous nous sommes rencontrés lors de mes longues promenades méditatives sur les bords de l'Ouse, et aussi quand je m'enfermais jalousement dans la librairie de mon père » (V, p. 84) ;
– autre exemple : « L'affaiblissement des limites de l'espace et du temps permettait à Robinson de plonger comme jamais encore dans le monde endormi de son enfance, il était hanté par sa mère » (V, p. 107) ;

L'instant vécu se dédouble entre présent et passé qui vont jusqu'à se confondre :

> Hier [...] j'ai été frappé en plein visage par une odeur qui m'a ramené brutalement — presque douloureusement — à la maison [...]. L'évocation était si puissante et si incongrue que j'ai douté de ma raison. J'ai lutté un moment contre l'invasion d'un souvenir d'une impérieuse douceur, puis **je me suis laissé couler dans mon passé,** ce musée désert. (V, p. 55)

Présent et futur se structurent pareillement, en particulier à la fin de chaque *log-book** (exemples : p. 51, 59, 61).
Dans le présent, Robinson se sent tiraillé entre ces sens opposés :

> [...] j'ai construit, et je continue de construire, mais en vérité l'œuvre se poursuit, sur deux plans différents et *en des sens opposés*.. (V. p. 116)

Pour Robinson le dédoublement devient un instrument d'analyse :

> Exister, qu'est-ce que ça veut dire ? [...] Ce qui est à l'extérieur existe. Ce qui est à l'intérieur n'existe pas. Mes idées, mes images, mes rêves n'existent pas. (V, p. 129)

> Étrange parti pris cependant qui valorise aveuglément [dans le langage] la profondeur au dépens de la superficie et qui veut que « superficiel » signifie non pas « de vaste dimension », mais « de peu de profondeur », tandis que « profond » signifie au contraire « de grande profondeur » et non pas « de faible superficie ». [...] Un mécanisme analogue [...] valorise l'intériorité aux dépens de l'extériorité. (V, p. 69)

Cette vision dédoublée ainsi schématisée rappelle les formules de Lévi-Strauss dont le fameux titre, *Le cru et le cuit.*

C. Une religion « élémentaire »

Une telle bipolarité de l'imaginaire aurait pu conduire Robinson à une conception manichéenne* de l'univers et plus particulièrement de son univers. La prégnance de la Bible en éloigne Robinson. Son premier geste sur l'île n'est-il pas le meurtre du bouc, représentation animale du diable ?

La référence constante à l'Esprit Saint lui est un rempart contre les forces du mal. Et si manichéisme il y a c'est sans doute par la confrontation avec les gens du *Whitebird* : désormais pour lui, le Bien, le Bon, c'est l'île définitivement retrouvée ; le Mal, le Mauvais, c'est la civilisation refusée. Quand Robinson se détourne de sa religion c'est pour s'abandonner aux puissances élémentaires symboliques : l'Eau, la Terre, l'Air, le Feu, un abandon ludique, sentimental, charnel, très païen que l'exaltation finale changera en un culte mystique affirmé. Aux structures précédentes, Arlette Bouloumié ajoute une structure quadripartite qui s'inspire de ce choix « élémentaire » :

- **une période aquatique** : chapitres I et II,
- **une période tellurique*** : chapitres III à VI,
- **une période éolienne** *: chapitres VII à IX,
- **une période solaire** : chapitres X à XII.

Dans un roman réputé initiatique, les éléments ne structurent pas seulement le texte, ils lui sont inhérents sans pour autant constituer à eux seuls le caractère initiatique du roman (voir *infra*, Parcours initiatique).

Alors ? « architecture savante » ? **La mise en abyme*** et la **série des *log-books*** * servent l'organisation du texte mieux que la référence au roman-modèle de Defoe dont Tournier n'a conservé que les événements majeurs. En fait, le texte se déroule au rythme des découvertes successives de Robinson sur son île, découvertes qui le renvoient à son passé ou qu'il renvoie à l'analyse ultérieure du *log-book**. Ce sont **le temps et l'espace** qui structurent le roman à la fantaisie de Tournier et de son personnage ou selon des exigences de survie sur l'île : l'administration de l'île n'est pas sans faille et, sans l'explosion de la grotte, la venue de Vendredi n'aurait pas engendré un tel dérèglement. L'évolution psychologique de Robinson est sans doute ce qui confère un semblant d'unité au roman, **une unité**

dans la succession de changements parfois inattendus : **l'art de la surprise** n'est pas un facteur d'unité mais un puissant ressort d'intérêt.

IV. UN PARCOURS INITIATIQUE

Le phénomène initiatique reste encore vivant dans les civilisations archaïques* que Michel Tournier a découvertes via l'ethnologie de Lévi-Strauss. L'initiation a un surprenant caractère d'universalité dans sa finalité et dans ses structures à savoir faire accéder l'individu à son être véritable (*révélation)* et l'inscrire *ad vitam** dans une société donnée pour en faire un citoyen (sociétés archaïques) et/ou un adepte (par exemple, dans les sociétés initiatiques modernes du type de la franc-maçonnerie née précisément au 18e siècle, le siècle de Robinson). Mais c'est surtout sa dynamique et ses structures qui fondent le phénomène initiatique.

A. Le scénario initiatique

Simone Vierne a consacré son ouvrage *Rite, roman, initiation* à cet aspect dynamique qu'elle définit par le mot « scénario initiatique » . Pour elle, le scénario est constitué de séquences successives qu'elle réduit au nombre de trois : la *préparation* du néophyte*, le *voyage* qu'elle dit voyage dans l'au-delà, la nouvelle *naissance*. L'intérêt de cette démarche est que Simone Vierne a voulu l'appliquer à *Vendredi ou les limbes du Pacifique*.

Selon Simone Vierne, les quatre premiers chapitres de *Vendredi* retraceraient *le premier voyage* : retour à l'enfance par l'eau de la souille à la fois mortelle (mort aussi représentée par les charognards) et amniotique (retour à l'enfance avec **l'apparition** de sa sœur Lucy morte jeune). Menant sa vie loin et hors du temps, Robinson est condamné à expérimenter un temps nouveau et maîtrisé (**la clepsydre***) dans une relation civilisée avec l'île (la charte, semailles et moisson, panification). Incomplètement transformé (**la chrysalide***), Robinson achève ainsi ce que Simone Vierne appelle sa **première initiation.**

La deuxième séquence dite **période tellurique*** (la terre après l'eau) fera de lui l'enfant de Speranza conçu dans la matrice même de l'île (le boyau de la grotte), sa position fœtale s'accompagnant du souvenir de sa mère. Au sortir d'un tel lieu où balancent la vie (la fécondité de la terre) et la mort (la tombe), Robinson retrouve la lumière comme une **épée de feu** : image d'une nouvelle naissance. Il suce alors l'eau de l'île-mère à un mamelon de terre en vagissant comme un nouveau-né. L'initiation serait incomplète si, lui étant changé, son univers ne changeait pas : d'où sa démarche pour trouver **l'autre île** dans l'île en une sorte de mise en abyme* tendant vers le sacré.

Toujours selon Simone Vierne la troisième séquence est celle de l'achèvement de l'homme nouveau, en deux temps : la déshumanisation et la sacralisation. Mais surtout Robinson découvre en Vendredi un **maître,** personnage obligé de toute initiation. Sa déshumanisation s'opère sous l'effet de ce qu'il appelle **l'option végétale**. La sacralisation survient dès la destruction par Vendredi de l'île administrée. Démuni, dépouillé, Robinson se laisse innocemment aller à la voie sauvage offerte par Vendredi laquelle ouvre une ère nouvelle placée sous l'égide du soleil et l'accès à l'autre île. Vendredi parti, Robinson devenu maître de lui-même s'aperçoit de l'incommunicabilité de sa propre initiation et fait le choix de rester sur son île flanqué d'un enfant perdu, se découvrant ainsi un disciple qui de lui-même a fui le monde.

SCÉNARIO INITIATIQUE				
1re séquence : premier voyage initiatique	Chapitre I à IV	Période aquatique	la souille	Retour à l'enfance Expérience de la mort
			la clepsydre et la charte	Temps et espace maîtrisés
2e séquence : second voyage initiatique	Chapitre V à VII	Période tellurique	Le boyau de la grotte	Nouvelle naissance
			Le mamelon	L'enfant de Speranza
			L'autre île	Conscience du sacré
3e séquence : l'homme nouveau	Chapitre VIII à X	Période solaire (feu et lumière)	Déshumanisation	La voie végétale
			à	L'explosion
			sacralisation solaire	Vendredi initiateur
Séquence finale	Chapitres XI et XII	Le *Whitebird*	L'éternel retour	De Vendredi à Jeudi

B. La théorie des ritèmes

Dans la *Revue du Centre de Recherche sur l'Imaginaire de Grenoble* (1989), Jacques Brengues affirme quant à lui que le scénario est plus mythique* qu'initiatique. Pour lui, l'initiation est purement structurelle et c'est comme telle qu'elle a des effets sur les individus. À l'instar de Lévi-Strauss qui structure le mythe en « mythèmes »*, Jacques Brengues structure le rite en **ritèmes** organisés en deux mouvements successifs : déstructuration et restructuration de caractère psycho-social. Nous allons appliquer la théorie de Jacques Brengues à l'étude de *Vendredi ou les limbes du Pacique* pour en déterminer les caractères qui font du roman de Tournier un véritable roman initiatique fondé sur des valeurs littéraires autant qu'ethnologiques.

Pour Robinson qui en a conscience, la déstructuration a noms *déshumanisation, désagrégation, dénaturation, dépouillement* (V, p. 5) en rupture avec son effort d'aménagement de l'île :

> Il viendra fatalement un temps où un Robinson de plus en plus déshumanisé ne pourra plus être le gouverneur et l'architecte d'une cité de plus en plus humanisée. (V, p. 117)

La déstructuration de Robinson a des effets secondaires : délabrement du langage, voire quasiment perte de la parole, sensation de vide (« Je ne suis qu'un trou noir, un point, c'est-à-dire rien ») (V, p. 68-70) et l'équivoque sentiment d'être « l'excrément personnel de Speranza » (V, p. 100). La restructuration s'amorce avec ce qu'il appelle « lent travail de purification » (V, p. 60) puis vient la perception en lui d'un homme nouveau (V, p. 82-125) mais la métamorphose est lente et il faudra l'explosion de l'île pour qu'il se sente un corps nouveau (V, p. 192). Selon Jacques Brengues, à la fin de la déstructuration, on est au degré zéro de l'initiation : Robinson en sa vieille peau tout d'un coup retrouvée, s'avance dans une voie inconnue (V, p. 189), cette voie qu'il dit solaire sera précisément celle de la restructuration.

Ce sont les **ritèmes** qui par leurs effets successifs contribuent à la déstructuration comme à la restructuration. Jacques Brengues les regroupe ainsi :

– ritèmes spatio-temporels	– **utopie et uchronie**
– ritèmes dynamiques	– **voyage et égarement**

– ritèmes schizoïdiques *	– **l'oubli et la peur**
– ritèmes probatoires	– **épreuves et obstacles**
– ritèmes sacrificiels	– **symbolique du sang**
– ritèmes déontologiques *	– **serment et secret**
– ritèmes transcendants *	– **contemplation** – **instruction** – **réflexion** – **méditation**

Associés, ces ritèmes constituent le phénomène initiatique, accompagnés par une **légende** qui les fonde, les unit ou les justifie, légende généralement exprimée dans un texte écrit ou oral qui prend un caractère sacré.

Ce sont tous ces ritèmes assemblés qui créent selon Jacques Brengues, le vrai roman initiatique. *Vendredi ou les limbes du Pacifique* le confirme.

1. Utopie et uchronie

Utopie et uchronie — au sens étymologique des mots : hors-espace, hors-temps. Il est évident que l'île est bien ce lieu circonscrit dans des limites spatio-temporelles qui l'éloignent de tout autre lieu (familial ou social) et de tout autre temps (chronologies historiques ou ménologiques*). « Ce double ritème fonde à lui seul le sacré » (J. Brengues). Robinson comprend qu'il est « réduit à vivre sur un îlot de temps comme sur une île dans l'espace » (V, p. 45). Tournier apporte une explication à cette idée de mise en abyme* du temps et de l'espace :

> Il se souvint de poupées gigognes* emboîtées les unes dans les autres : elles étaient toutes creuses et se dévissaient en grinçant sauf la dernière, la plus petite, seule pleine et lourde et qui était le noyau et la justification de toutes les autres. (V, p. 106)

Par édification successive, Robinson va procéder de même avec son espace sur l'île : Speranza subit une suite de mises en abyme* avec la grotte, la maison, *le musée de l'humain* qu'il respecte comme un temple en n'y entrant solennellement qu'en habit (V, p. 66), l'ensemble étant clos par une forteresse (V, p. 78) avec au cœur, le *noyau, le meilleur de Robinson en lui-même* (V, p. 66). Aucune carte ne mentionne l'île (V, p. 18) et Robinson avoue y vivre en Utopie, justifiant même le titre de Tournier, « repoussé aux confins de la vie dans un lieu suspendu entre ciel et enfer, dans les limbes*, en somme. *Speranza ou les limbes du Pacifique* » (V, p. 130). Voilà pour l'en-haut, pour l'en-bas Robinson croit saisir la présence d'une *autre île* dans l'île, « plus fraîche, plus chaude, plus fraternelle » (V, p. 94), « cachée sous le chantier de construction » (V, p. 220), en fait l'île-femme née d'une nostalgie nourrie par la solitude.

Robinson accommodera son uchronie* : après avoir négligé de tenir le compte des jours qui passaient (V, p. 22), il esquisse un semblant de calendrier par encoches sur un arbre (V, p. 32) puis inaugure un vrai calendrier par une estimation du temps déjà passé sur l'île, mais, en fait « un calendrier coupé de celui des hommes » (V, p. 45). Il croit ainsi reprendre possession de lui-même jusqu'à se permettre de perdre son temps comme tout mortel mais avec la conscience de se perdre (V, p. 60). Ce temps uchronique*, Robinson va s'en rendre maître par sa clepsydre* (V, p. 66), par la tenue régulière de son *log-book**, chronique de lui-même (V, p. 218) et par la ritualisation de sa vie de reclus (V, p. 79). L'arrêt de la clepsydre va le faire accéder à un autre temps figé qui lui semble avoir un parfum incertain d'éternité : « N'est-ce pas dans l'éternité que nous sommes installés, Vendredi et moi ? » (V, p. 219)

2. Le voyage initiatique

« **Le ritème du voyage** est étroitement lié au sacré utopique » (J. Brengues). Par voyage on entend ici toute marche orientée permettant de pénétrer et d'occuper l'espace initiatique, ce qu'a fait Robinson dès son « arrivée » sur l'île (V, p. 16). Voyage signifie aussi départ au sens de partition, de séparation : ce qui est une évidence dans *Vendredi*, mais plus précisément, selon Jacques Brengues, séparation d'avec la mère pour le néophyte* qui la retrouve dans un groupe initiatique faisant office de mère, et pour Robinson, l'île-mère. Voyage pédagogique aussi, unique, sans retour possible à la situation antérieure :

> Le voyage initiatique se termine par un retour sur soi-même. L'initié est alors réputé être devenu autre (la métamorphose initiatique), sa quête lui ayant donné un nouvel avoir, un nouveau savoir... (J. Brengues)

Robinson en a vite conscience : « Ce fut l'occasion pour lui de découvrir un aspect important de la **métamorphose** que son esprit subissait sous l'influence de sa vie solitaire » (V, p. 35). Métamorphose d'un esprit **égaré** qui a du mal à songer à plusieurs choses à la fois ou à « passer d'un sujet de préoccupation à un autre » (V, p. 36). Mais l'égarement s'exprime surtout initiatiquement par la déambulation dans « **le labyrinthe** dont les occurrences sont multiples : souterrains, villes, forêts » (J. Brengues). Robinson y est très tôt confronté en une véritable forêt-ville :

> Les troncs des arbres morts et pourrissants faisaient un tel amoncellement que Robinson [...] rampait dans des tunnels végétaux [...]. L'enchevêtrement des lianes et des rameaux l'entourait comme d'un filet gigantesque. [...] pas la moindre trace humaine [...] des cathédrales de verdure [...]. (V, p. 16-17)

3. La désorganisation de la mémoire et des sens

Voyage et égarement doivent conduire à **l'oubli** : perte de mémoire obtenue dans les systèmes initiatiques par l'absorption de drogues ou de substances hallucinogènes. La première hallucination de Robinson lui vient sous l'effet des « émanations délétères* des eaux croupissantes de la souille qui lui obscurcissent l'esprit » (V, p. 38) et l'ingurgitation de cresson — qu'il « broute » comme une bête — réputée autrefois pour chasser les idées noires des mélancoliques (V, p. 40). Robinson ne perd pas la mémoire mais son passé ne lui revient qu'à l'occasion et par bouffées plus ou moins fidèles.

En revanche, l'oubli ou la perte de son identité résulte comme dans les initiations connues, de la désorganisation sensorielle :
– **occultation de la vue** : les ténèbres du boyau, « obscurité assumée » (V, p. 102) ;
– **perturbation de l'ouïe** : entre bruit et silence, « tout son être est tendu comme une grande oreille » (V, p. 84) jusqu'à entendre une « musique irréelle » (V, p. 40), « des sons énigmatiques » (V, p. 56), des sons mémorisés en mots (« les lombes ») (V, p. 127) au point d'attribuer « une signification fatidique aux cris d'un oiseau » (V, p. 82) ;
– **affectation de la peau** :« sa chair était offerte vulnérable et blanche au rayonnement des éléments bruts » (V, p. 30) ou blessée à jamais par la construction de l'Évasion (V, p. 35) ;
– **encens ou fumigation diverses** : « les vapeurs méphitiques* de la souille* » (V, p. 49), l'odeur mémorisée des térébinthes (V, p. 55) ou l'alchimie du tabac (V, p. 182) ;

– **absorption de nourritures ou de breuvages plus ou moins rebutants** (« la bouillie des braves » dans les civilisations archaïques) : les fricassées écœurantes préparées par Vendredi (V, p. 210) ;
– **perte du sens de l'équilibre** : les vertiges de Robinson (V, p. 199 et 203) qui sent la terre vaciller sous ses pieds (V, p. 54) ;

S'y ajoute **la perte de l'identité sociale** par la nudité, constante dans *Vendredi.* « Le ritème de l'oubli rend aveugle, sourd, insensible au monde, il rend fragile et fait du novice un infirme, un estropié, un malade » (J. Brengues). Robinson est bien toujours un malade qui se sent périr (V, p. 31), en proie à une fièvre cérébrale (V, p. 38), exténué au-delà de la fatigue (V, p. 29) jusqu'à la démence hallucinatoire, jusqu'à l'oubli de son existence même (« un état d'inexistence » (V, p. 106). L'oubli ne tue pas complètement les souvenirs : ils sont « exsangues » constate Robinson (V, p. 118), c'est par bouffées, par pulsions que le souvenir de ses parents lui vient en des moments ou des endroits d'exception (la souille, le boyau).

4. Les épreuves initiatiques

En revanche, **la peur** est chez Robinson permanente : le mot est fréquent sous la plume de Tournier, « panique » même (V, p. 36), angoisse aussi (V, p. 47) notamment la peur de perdre l'esprit (V, p. 23) accentuée par le doute sur « la véracité du témoignage de ses sens » (V, p. 54 et 83) conséquence de la désorganisation sensorielle.

Ce sont **les épreuves initiatiques** qui exorcisent la peur : fondées sur les quatre éléments, **Terre** (tellurique*), **Eau** (aquatique), **Feu** (ignivome*), **Vent** ou **Air** (éolien*), elles constituent l'essentiel de la trame romanesque de **Vendredi** jusqu'à l'abus même. À elles seules, les épreuves font « **la passion initiatique** » (J. Brengues). Cette passion, Robinson comprend vite qu'il aura à la subir dès l'affliction de sa première prière (V, p. 31) très différente de sa grande prière païenne au Soleil (V, p. 217) : « Apprends-moi [...] l'acceptation riante des dons immédiats de ce jour, sans calcul [...] » et surtout « **sans peur** », signe d'un certain achèvement de l'initiation.

La symbolique du sang incluse dans toute initiation archaïque se résume à des blessures rituelles affectant souvent le sexe (circoncision) : c'est le cas chez Robinson constatant que « son sexe humilié avait fondu » (V, p. 110) et surtout avec la pénible agression de l'araignée rouge (V, p. 122) — sorte de don du sang fait à Speranza, euphémisé* par le symbole anodin de « la petite sangsue soudée à la commissure des lèvres de Robinson » (V, p. 50). La véritable épreuve du sang, Tournier l'a placée hors du champ clos édifié par Robinson dans **son** île, épreuve sacrificielle condamnant à la mort un des araucariens venus sur l'île pour éloigner par un rite sanglant « un mal quelconque dont la communauté devait souffrir — épidémie ou sécheresse » (V, p. 76). Tout se passe comme si l'auteur avait eu conscience de la carence dont souffre son roman initiatique à savoir l'absence d'un groupe initiateur : en le projetant ainsi hors du processus de métamorphose « naturelle » de Robinson, Tournier prépare l'avènement de Vendredi qui, issu de l'ethnie araucarienne*, apparaît comme un véritable initié par la vertu de rites archaïques* qui feront de lui le maître unique initiateur qui manquait à Robinson.

Universellement toute initiation s'accompagne du ritème déontologique* du **secret,** souvent formulé de terrible manière, consistant à observer le devoir de silence ou **loi du silence**, c'est-à-dire de garder le secret du détail de l'initiation. Sans être ainsi assermenté, Robinson observera cette loi du silence comme malgré lui ou plutôt sous l'effet obligé de l'initiation qui d'elle-même se rend, ritèmes après ritèmes, incommunicable : Robinson ne pourra rien dire de son aventure initiatique au commandant Hunter. Le second lui propose une initiation d'un genre nouveau pour lui : « il s'employait à **l'initier** au mécanisme de la traite des esclaves africains » (V, p. 238). L'initié Robinson refusera le « grand système » (V, p. 235) et se retrouvera sur son île sans le **maître** Vendredi. Cette absence le fait maître à son tour et il trouve **son** disciple en la personne du petit Jaan.

5. Les ritèmes transcendants

Selon Jacques Brengues, quatre **ritèmes transcendants** conditionnent le néophyte* suivant des procédés psycho-didactiques imposés par le groupe. Telle n'est pas la situation du solitaire Robinson, cependant il est aisé de repérer ces ritèmes dans le texte de Tournier :

– **La contemplation** qui provoque la dissociation psychique. Par exemple, « l'attente contemplative de la mer, masse liquide en perpétuelle mouvement » :

> Il vit en elle une surface dure et élastique [...] Puis, allant plus loin, il se figura qu'il s'agissait du dos de quelque animal fabuleux [...] Enfin il lui parut tout à coup que l'île [...] n'était que la paupière et le sourcil d'un œil immense, bleu et humide [...] Cette dernière image l'obséda. (V, p. 22-23)

– **L'instruction,** favorisée par l'état second précédemment provoqué, est assimilable à une révélation. Pour Robinson, celle émanant de l'île même :

> L'île était derrière lui, immense et vierge, pleine de promesses limitées et de leçons austères. (V, p. 42)

Ces leçons, Robinson les découvre peu à peu :

> [...] il poursuivait avec elle [l'île] un long, lent et profond dialogue où ses gestes, ses actes et ses entreprises constituaient autant de questions auxquelles l'île répondait [...] message qui ne cessait d'émaner d'elle sous mille formes, tantôt chiffrées, tantôt symboliques. (V, p. 56)

– **La réflexion**, retour sur soi, stade du miroir où le néophyte* constate sa transformation, sa « transfiguration » : c'est dans l'épisode du miroir retrouvé (V, p. 89) que Robinson constate un changement physique (« Je suis défiguré ») mais cela vaut moins que son récit de l'histoire de ses métamorphoses commencée très tôt (V, p. 35) progressant par « degrés » (V, p. 94), affectant « son être profond » (V, p. 115). Robinson guette en lui-même « les symptômes de sa métamorphose » (V, p. 125) notamment après l'expérience de la volupté (V, p. 133). Les restes du « vieil homme » (V, p. 188) s'estompent douloureusement pour laisser enfin advenir « l'être solaire » (V, p. 226) dans un calme bonheur (V, p. 234).
– **La méditation** qui donne à l'initié un regard nouveau sur le monde, l'initiation ayant pour finalité de changer, aux yeux de l'initié, l'ordre des hiérarchies universelles : « il y a en moi un cosmos en gestation » écrit Robinson qui ajoute : « cependant le cosmos peut se chercher » (V, p. 118). Alors à la recherche d'une nouvelle cosmogonie* entre lui-même, les êtres et les choses, Robinson finira par l'instituer définitivement pour lui et Jaan, par son choix de rester à Speranza, refusant « le lit préparé à l'avance par la société » (V, p. 119).

6. La légende

La légende qui fonde l'initiation est à l'évidence représentée, comme souvent dans les initiations de type occidental, par la Bible. Deux fois

Robinson justifie ses actes par référence à un passage rapporté de la **Bible** : le **Cantique des cantiques** pour consacrer son union charnelle avec Speranza (V, p. 134) et la **Genèse** (V, p. 178) pour condamner cette même union chez Vendredi. Mais c'est aussi la Bible (**Rois, I**) — du moins ce qui en reste (V, p. 250) — qui semble condamner Robinson à la vieillesse, apparent retour du vieil homme malgré l'initiation consommée.

« C'est le schéma composé d'une quinzaine de ritèmes qui institue l'initiation et, par là, le roman initiatique » (J. Brengues). Ce qui fait de *Vendredi ou les limbes du Pacifique* un **véritable roman initiatique**.

Resterait à se poser la question par référence au 18e siècle, le siècle de Robinson et de Tournier qui en a le goût : *Vendredi* pourrait-il être reconnu en outre et plus particulièrement comme un **roman maçonnique** ? Plusieurs connotations tendraient à le laisser croire : par exemple, les devises du chapitre VII rappellent celles qui ponctuent l'initiation du compagnon dans la franc-maçonnerie ; l'adoubement du Chevalier Solaire est quasiment celui du Chevalier du Soleil (dit parfois Chevalier Solaire) dans différents grades maçonniques. Dès le 18e siècle, la franc-maçonnerie est réputée, selon une formule fameuse, comme « élevant des temples à la vertu et creusant des cachots aux vices » ce qu'exprime Robinson pour ouvrir son *log-book** (V, p. 50). La lune et le soleil (V, p. 230 et 232) sont deux symboles inscrits à la voûte du temple maçonnique. « Ni vis, ni clou » et l'adjectif monoxyle* constituent un « abandon des métaux », formule initiatique de la franc-maçonnerie du Siècle des Lumières. Et il y aurait bien d'autres exemples. D'ailleurs, le quaker* Robinson eût pu être affilié chez les francs-maçons, comme beaucoup de quakers* en ce siècle, avant 1759 : les quakers ne se baptisent-ils pas à cette époque : **Les enfants de la lumière** ?

V. UN PARCOURS PHILOSOPHIQUE

A. Vice et vertu

Robinson ouvre la série de ses trente *log-books** par une dissertation sur **le vice et la vertu** en considération de sa vie solitaire sur Speranza vue comme une personne — « elle devient mauvaise et montre un visage de brute » — avec laquelle cependant il va bien falloir composer, problème qu'il pose en termes de morale. Les notions apprises valent-elles encore sur l'île ? la loi morale de la société des hommes a-t-elle quelque utilité face à la loi naturelle de Speranza ? Il reste toutefois à Robinson de notables recours : les préceptes de la Bible, le sens de la sagesse inscrit en tout homme aussi bien que la voix de l'Esprit Saint, mais rien ne vaut mieux en la situation particulière de Robinson que le **travail** : « construire, organiser, ordonner ». Pour ce faire, Robinson revient à la vieille définition classique de la vertu, cette vertu que Kant oppose à la sainteté et que Robinson oppose au christianisme dont la méfiance à l'égard de la nature ne saurait s'accommoder de la double nécessité de vivre en harmonie avec Speranza et d'écarter le risque de revenir à la souille*, image du vice, de **son** vice (*log-book**, p. 50). Mais qui est vraiment Speranza ? pour la connaître, Robinson ne peut se référer qu'à ce qu'il appelle « **son point de vue** » sans recours possible à des points de vue d'autrui : « Ma vision de l'île est réduite à elle-même », écrit-il. La connaissance passe aussi par les sens et, reprenant à son compte le doute cartésien sur leur témoignage, il évoque les dangers de « 'illusion d'optique, l'hallucination ou le trouble de l'audition ». Si être vertueux, selon Spinoza, c'est vivre selon la raison, Robinson a de quoi s'inquiéter car il va jusqu'à douter de la sienne (*log-book*,* p. 52).

B. Le temps

Mais la grande question pour Robinson sur son île sera celle du **temps.** Désormais, les expressions triviales comme « perdre son temps » ou communes comme « plus tard » n'ont plus cours sur l'île qui se situe « hors du temps » malgré l'estimation plus ou moins juste d'un calendrier recréé (*log-book* *, p. 60).

C'est avec le tic-tac d'une clepsydre* que Robinson restaure le « temps perdu ». La rationalité insulaire du temps retrouvé, « machinale, objective, irréfutable, exacte, contrôlable » s'inscrit dans un programme moral de lutte contre les forces du mal. Une mathématisation systématique de l'île rendra celle-ci transparente, intelligible « jusqu'à l'os ». Robinson est bien loin de son projet « d'accepter Speranza » dans son naturel. Se pose alors la question de la place réelle de Robinson dans cette structuration rationnelle de l'espace et du temps. À la manière de Condillac dont la fameuse statue s'anime au fur et à mesure qu'on la dote de sensations sans lesquelles elle ne serait et ne saurait rien, Robinson s'estime n'être « qu'un point, c'est-à-dire **rien** » :

> [...] l'âme ne commence à avoir un contenu notable qu'au-delà du rideau de peau qui sépare l'intérieur de l'extérieur, et **qu'elle s'enrichit indéfiniment à mesure qu'elle s'annexe des cercles plus vastes autour du point-moi**. » (*log-book** p. 70)

C. La connaissance

À partir de l'expérience, très sartrienne, de la « mort » de son bras qui le conduit à l'évocation du miracle de saint Denis, Robinson entreprend de se dépouiller de tous ses attributs naturels (rousseur, éphélides, maigreur, blancheur de la peau), au point de se poser la question de ce qu'il en restera : **qui suis-je** ? ou plutôt : **qui est JE** ? Et si ce n'est lui, c'est donc Speranza : « Ce que je viens d'écrire, n'est-ce pas cela que l'on appelle **philosophie** ? Il faudra y revenir » écrit Robinson tout étonné de ses spéculations (*log-book**, p. 87).

Effectivement, il y revient tout en avouant : « Je ne suis guère versé en philosophie ». Craignant le délabrement de son esprit sous l'effet de la solitude, Robinson en vient à se poser la question de la **connaissance** relativement à sa situation de solitaire. La lumière plus ou moins rapprochée ou plus ou moins intense d'une chandelle ne change pas la nature des objets qu'elle éclaire : les objets n'ont d'ailleurs pas besoin d'être éclairés, ils brillent par eux-mêmes. De même, la connaissance par l'autre n'ajoute rien à ma propre connaissance, à tel point que je dois me débarrasser de l'idée qu'autrui serait un autre moi. Ce qui compte, c'est le moi parlant et voyant qui donne de l'existence à l'objet — mais l'hallucination visuelle d'une Lucy inexistante a montré à Robinson que le sujet peut être disqualifié et devenir une sorte de déchet. Il en est ainsi de Speranza dont Robinson ne serait que « l'excrément ». Chacun — sujet et objet — existant en soi, le salut se trouverait en une sorte d'équilibre difficile à tenir (*log-book,* p. 95).

D. La vie et la mort

Dans la ligne sartrienne qui se dessine tout au long de l'écriture des *log-books,* apparaît **l'angoisse**, résultant « de quelque chose de flottant en Robinson, de mal équilibré » qui se résout maintenant dans la minéralité matricielle et sépulcrale de la grotte, entre vie et mort (*log-book*, p. 110). Si l'on construit, on peut se passer d'autrui : pour Robinson, c'est construire soit en copiant la société des hommes, soit en créant quelque chose d'original. Mais à force, dans l'un ou l'autre cas, on finit par travailler sans but. De sorte qu'à la question : **qui suis-je** ? Robinson ajoute : **où vais-je** ? avec beaucoup de doute et de pessimisme (*log-book*, p. 116). Entre vie et mort, Robinson sait que, par le sommeil, il fait chaque jour une expérience voisine de la mort (*log-book*, p. 127).

E. L'existence

« Toujours ce problème de l'**existence** », écrit Robinson pour finalement se dire : mais pourquoi revenir inlassablement sur ce sujet ? Quel sujet ? **La relation à autrui** : « Je n'existe qu'en m'évadant de moi-même vers autrui. », « Évader » signifiant pousser vers le dehors « tout ce qui remue en Robinson, images, rêveries, projets, fantasmes, désirs, obsessions » en un mot ce qui n'existe pas et ne peut exister que par autrui (*log-book**, p. 128). « Ma propre conviction que j'existe a contre elle l'unanimité » — car tous ceux qui ont connu Robinson le croient mort (*log-book**, p. 129).

Autrui venu avec Vendredi, Robinson n'a pourtant de cesse que de le dévaloriser (« un sauvage qui n'est pas humain à part entière ») et d'en faire son esclave (*log-book**, p. 146) ce qui le renvoie à lui-même au point qu'il finit par se considérer tel un « monstre » qu'il découvre en Vendredi « comme dans un miroir déformant » (*log-book**, p. 153).

« Malheur à celui qui vit seul » dit **l'Écclésiaste** (IV) précepte qui conduit Robinson à mieux considérer Vendredi (*log-book**, p. 167) encore qu'il reste très interrogatif sur la nature bestiale de Vendredi et sur ses caractères négroïdes (*log-book**p. 170 et p. 216).

F. La crise mystique

Le parcours philosophique de Robinson s'achève par une surprenante crise mystique qui s'inscrit dans l'environnement de l'île — ciel et terre, air et eau, espace et temps, Vendredi et lui-même. On s'attendait plutôt à un aboutissement rationnel de ses méditations poursuivies tout au long de ses deux décennies passées sur Speranza. Ce revirement s'explique par l'apparition d'un sentiment de **culpabilité** à l'égard de Vendredi : la brute sauvage va se muer en un ange de lumière ouvrant à Robinson un nouveau chemin vers un incertain salut. Vendredi devient un modèle de **légèreté** : « l'acceptation riante des dons immédiats de chaque jour, sans calcul, sans gratitude, sans peur » (p. 217). Il en résulte une attirance physique pour Vendredi : d'abord un **visage** épanoui par le rire, un front couronné d'une guirlande de boucles, une bouche sinueuse, gourmande et animale, un balancement de la tête sur l'épaule, puis un hymne à la gloire du **corps** de Vendredi « drapé dans sa nudité comme un ostensoir* de chair, beauté évidente, brutale, qui paraît faire le néant autour d'elle ». Une beauté qui se fait grâce comme celle de certains anges des peintures religieuses — à tel point que Robinson ne peut résister à se livrer à des caresses sur le corps de Vendredi (p. 222). Une scène à laquelle répond, en diptyque*, celle où Vendredi, à son tour, examine en le palpant le corps de Robinson somnolant « pouce par pouce avec l'attention d'un anatomiste qui s'apprête à disséquer un cadavre » (p. 225). Mais Robinson reconnaît que sa propre soif charnelle est fort éloignée de la **soif de l'humain** manifestée par le « manège de Vendredi ». Passé le risque d'une « impatience » chez Robinson, celui-ci revient à une représentation plus symbolique de l'image qu'il se fait de Vendredi :

> Il est pour moi toute l'humanité rassemblée en un seul individu, mon fils et mon père, mon frère et mon voisin, mon prochain, mon lointain…

En bref, Vendredi est l'**Autrui** tant attendu par Robinson, un autrui à la fois homme et femme — femme comme Vénus sortant de l'écume, une vénusté * sublimée qui interdit à Robinson toute appétence antiphysique.

VI. ROBINSONNADES ET APPORTS LITTÉRAIRES

On entend par robinsonnades les ouvrages qui s'inspirent peu ou prou du *Robinson Crusoé* de Defoe, directement ou indirectement : ils furent et restent nombreux — depuis la littérature de colportage, théâtre, imitation, adaptation, parodie, cinéma — traduits en bien des langues, destinés aux adultes et souvent aux enfants notamment en bandes dessinées. Dans cette foule d'ouvrages (près d'une centaine), Tournier en reconnaît quelques-uns pour les avoir lus : *Le Robinson des demoiselles*, *Le Robinson unique*, *Le Robinson des glaces* d'Ernest Fouinet (1835) — et plus sérieusement : *Le Robinson suisse* de J.R.Wyss (1816) — et sous des titres divers : *L'Île mystérieuse* de Jules Verne (1874), *Suzanne et le Pacifique* de Jean Giraudoux (1935), *L'Île des mères* de Gerhart Hauptmann (1862-1946) et une œuvre poétique : *Images à Crusoé* de Saint-John Perse (1904). Le germaniste Tournier aurait pu citer *Le Robinson allemand* de J. H. Campe (1779) fort prisé en Allemagne dès le 18e siècle. « De toutes ces versions la plus fidèle au livre de Daniel Defoe, c'est la mienne » déclare Michel Tournier (Mag L).

Mieux vaudrait dire fidélité plus large que chez d'autres auteurs qui ne s'inspirent que partiellement de Defoe, souvent sous diverses influences idéologiques ou selon le choix du genre et, parfois, à l'encontre de l'œuvre originelle. Les exégètes robinsonniens ajoutent à la liste avouée par Tournier : *Sa Majesté les mouches* de W. Golding (1954), *Histoires brisées* de Paul Valéry (1950) et de Supervielle, *Robinson* (1949). Cette concentration d'œuvres autour de l'année 1950 prouve un regain d'intérêt pour le personnage de Robinson au moment même où Tournier songe à entreprendre une carrière littéraire. Robinson est dans l'air du temps. Tournier n'y échappe pas.

Généralement désigné comme « industrieux » en 1862, c'est le Robinson actif, dur à la tâche, travailleur avisé, organisateur qui retient l'attention des imitateurs du premier Crusoé. Mais Vendredi suscite des intérêts divers selon que l'on se polarise sur l'image du bon sauvage, thème devenu constant dans la littérature française depuis Montaigne — ou sur ses relations avec Robinson, plus ou moins en la faveur de l'un ou de l'autre.

A. Jean-Jacques Rousseau

Il est sûr que Tournier a su attribuer mieux que d'autres, une vraie personnalité à Vendredi présenté ailleurs de manière plus ou moins caricaturale, ce qui s'explique par la référence (que confesse Tournier) à Jean-Jacques Rousseau : l'idée de l'inversion Vendredi/Robinson lui est venue à la lecture de l'*Émile*, dangereux concurrent dans la course aux robinsonnades. Le seul livre confié à Émile est le *Robinson* de Defoe « pour l'amusement et l'instruction ». Émile y apprendra « tout ce qui est utile et ne voudra savoir que cela » pour comprendre enfin que, le moment venu, il lui faudra cesser de vivre seul. Mais Tournier voit les choses différemment dans la relation du colonisateur au colonisé, du civilisé au sauvage, en inversant le rapport, inversion qu'il découvre chez Jean-Jacques Rousseau même :

> Dans l'esprit de Jean-Jacques Rousseau, pense Tournier, le bon sauvage, ce n'est pas Vendredi, c'est Robinson arraché à son milieu [...] Émile doit arrêter de lire cette histoire quand apparaît Vendredi car alors la société est reconstituée, le mal réapparaît et s'instaurent des relations de maître à esclave, ce qui pour Rousseau est la dernière des catastrophes et il a raison, s'il s'en tient à Daniel Defoe. (Mag L)

L'idée neuve propre à Tournier est que le rapport maître/esclave s'abolit jusqu'à l'égalité entre les deux hommes, voire jusqu'à la **gémellité**.

B. Jean Giraudoux

De *Suzanne et le Pacifique* qu'il cite, Tournier semble avoir peu retenu, sinon le mot même de **Pacifique** dans le titre, et pour son propre titre, peut-être l'idée d'une seconde île, le végétal en forme d'homme, le temps morcelé en épisodes, l'écriture au couteau sur les arbres, le nom même de l'île appelée *in fine* du nom de l'héroïne : **l'île Suzanne** — une île qui est surtout un zoo ornithologique, encore que « les outardes » y couvent des oignons comme des œufs, une étrangeté qui annonce les mutations végéto-animales chez Tournier.

L'île Suzanne, par son nom, **féminise l'île** comme sera féminisée l'île chez Tournier. Speranza est un nom de femme et l'île a une forme de femme — qui se fera mère (**sa** mère) pour Robinson au fond du boyau de sa grotte.

La problématique intrusion d'une « nature féminine » dans une île d'hommes, Tournier l'a traitée symboliquement. Elle lui a surtout permis d'y inclure la **sexualité**, nulle chez Defoe. Mais c'est la robinsonnade féministe de Hauptmann qui l'a incité à changer l'absence de la femme en présence paradoxale de l'absente : il s'en explique à demi-mot :

> Une île peuplée uniquement par des femmes, Hauptmann assure son lecteur qu'elles s'entendent merveilleusement entre elles [...] Un beau jour, une femme se retrouve enceinte. (Mag L)

Ceci posé, Tournier revient étonnamment à Defoe :

> Dans le roman de Daniel Defoe, il n'y a aucune trace de sexualité, sauf celle-ci : Robinson s'est retrouvé dans l'île avec un chat et un chien [sauvés du bateau]. Des années après, un beau jour, le chat se met à faire des petits ! C'était une chatte et Robinson n'a jamais pu savoir quel était le père de ses chatons puisqu'elle était seule de son espèce dans toute l'île.

« Loufoquerie » dit Tournier. Point tant, car le Robinson de Defoe avait deux chats (p. 258) : il écrit :

> Ils [les deux chats] étaient morts [...] mais l'un d'eux ayant eu des petits de je ne sais quelle espèce d'animal, j'avais apprivoisé et conservé ces deux-là.

Or, l'île est peuplée de chats sauvages (Robinson en tue un dès la page 148) d'une espèce mal déterminée par un Robinson peu zoologiste — mais s'il faut appeler « un chat, un chat » selon le dicton, un chat sauvage est un chat, capable de « familiariser » avec une chatte dite domestique (le cas n'est pas rare). Tournier veut ignorer le fait mais il en retiendra pourtant l'idée d'une **étrangeté** sexuelle qui unit ce qui ne peut l'être sauf dans le mythe, le symbole ou la démence : humain/terre, humain/végétal.

C. Jules Verne

L'Île mystérieuse de Jules Verne citée par Tournier est pourtant dénuée de toute sexualité. Bien que d'abord intitulée par Jules Verne *L'Oncle Robinson*, c'est une robinsonnade sans Robinson. Le roman s'articule autour de la présence d'un personnage solitaire inconnu, protecteur et bienfaiteur de cinq naufragés tombés d'un ballon qui s'adjoindront plus tard un autre individu désigné d'abord comme un monstre, puis singe et enfin comme une « créature humaine ». Roman scientifique à la mode du temps (1874), la croyance en Dieu y est entière, à l'américaine, c'est-à-dire ramenée à la confiance en la Providence, Bible présente, heureusement découverte — mais, surtout, roman d'aventures multiples et d'événements inexpliqués en vue d'intriguer le lecteur grâce à un art confirmé du suspens. En fait, le personnage principal est l'île, ce que dit le titre. Mais l'intérêt de Tournier s'explique mal par rapport à son *Vendredi ou les limbes du Pacifique*, sinon que l'île se situe dans le même océan, Pacifique Sud, étrangement peuplé d'une faune du Pacifique Nord. Peut-être faut-il retenir ce qu'en dit Marie-Hélène Cabrol-Weber, à savoir que le roman de Jules Verne est « un **hymne au travail**, à la persévérance, à l'intelligence » (*Robinson et Robinsonnades*, p. 278) — tout ce que Tournier honore particulièrement.

D. Saint-John Perse

C'est pourquoi la mention du *Crusoé* de Saint-John Perse étonne un peu. Le style du poète est bien éloigné de celui de Tournier : exemple :

> Crusoé — ce soir près de ton île, le ciel qui se rapproche louangera la mer, et le silence multipliera l'exclamation des astres solitaires.
>
> Crusoé tu es là ! Et ta face est offerte aux signes de la nuit, comme une paume renversée. (*Éloges, Images à Crusoé, La ville*)

L'insularité à elle seule ne saurait expliquer cette référence faite par Tournier. Le prestige du poète, il est vrai, suffirait moins sans doute que sa séduisante personnalité : né à la Guadeloupe, Saint-John Perse en a gardé d'exotiques images océanes où se mêlent parfums, silences, corps jusqu'à la fusion érotique, loin de tout ce qui peut paraître repoussant : le visqueux, le mou, la pourriture (on pense à la souille). Le poète se double d'un aventurier : navigations solitaires, exploration de déserts, retraites en forêts — expériences volontaires d'un homme attiré par la diversité des traditions humaines — de quoi retenir l'attention de Tournier pareillement fasciné par l'archéologie humaine et sociale.

Les « sources » de *Vendredi ou les limbes du Pacifique* ne sont pas toutes robinsonniennes.

E. Les romans d'aventures

Michel Tournier découvre, dès l'âge scolaire, la littérature à travers ses premières lectures. Il cite notamment : *Le merveilleux voyage de Nils Holgersson à travers la Suède* de Selma Lagerlöf (1906), chef-d'œuvre de sagesse et de poésie où l'on voit Nils chevaucher un grand jars blanc, *La Reine des neiges* d'Andersen où l'amour implique la volonté de faire don de soi-même contre la Reine capable d'emporter un enfant vers la mort, *Le bout du fleuve* de J. O. Curwood où la solitude s'inscrit dans l'immensité du Canada et fait apparaître le **phénomène du double** entre un criminel et le policier qui le poursuit, tous deux « vivant ensemble dans le grand désert blanc, comme sur une île déserte » (VP, p. 52), les albums de Benjamin Rabier dont Tournier garde un souvenir fait d'images claires de bêtes et d'arbres, des poètes parnassiens comme Leconte de Lisle auteur « solaire » et animalier, et, plus tard, Giono, fondateur du culte païen d'un retour à la nature. Pour qualifier ces lectures, Tournier a un mot : **initiation,** « il ne nous quittera pas de si tôt, écrit-il, c'est selon moi, tout le problème de l'enfance » (VP, p. 49). D'après Françoise Merllié, dès cet âge, Tournier « a pu se constituer une mythologie et une esthétique que ses romans développeront par la suite » (*Michel Tournier,* p. 222).

« Quand je commençais un roman, c'était toujours avec l'idée de réécrire *Le Comte Kostia* de Victor Cherbuliez, écrivain suisse (1829-99), qui avait enchanté mon enfance » (VP, p. 94) — un roman grave où le ton réfléchi du narrateur n'écarte pas le pathétique ni le pittoresque parfois crépusculaire ou lunaire. On est fort éloigné du mythe solaire de *Vendredi*... Mais Tournier ne voulait-il pas écrire alors comme Paul Bourget, René Bazin ... ou Delly ! Boutade, sans doute, son « idéal littéraire » à ses yeux étant celui qu'il reconnaît chez ceux qu'il appelle « ses maîtres » : Charles Perrault, La Fontaine, Kipling, Selma Lagerlöff, Jack London, Saint-Exupéry et — pourquoi pas, dit-il — Victor Hugo (Mag L). On en conclut d'une part à une fidélité aux auteurs de sa jeunesse et d'autre part au respect des auteurs dits « classiques ». Il est clair que *Vendredi* s'en ressent : on y trouve du conte moralisant, du bestiaire exotique, de l'aventure et du merveilleux. La référence à Victor Hugo est plus étonnante : le chantre de la mer que fut Hugo ravit le célébrant du Pacifique — sans pour autant qu'il puisse « être assez fou pour se prendre pour Victor Hugo » (VV, p. 26).

F. Les thèmes

Tout au long de sa vie et de son œuvre, par petites touches, Tournier offre subtilement des **clés** (ou clefs, comme il l'écrit) qui permettent de saisir mieux — à son insu, peut-être — sa relation à des œuvres maîtresses de la littérature : ainsi, il voit chez Novalis « un pêle-mêle, dans le même creuset, de sa philosophie, de sa poésie, de son métier d'ingénieur, de son amour pour une petite fille, de sa religion piétiste* » que Tournier résume par le mot « **alchimie** » — une alchimie non aboutie (VV, p. 73) — toute cette analyse pouvant s'appliquer quasiment à la lettre dans *Vendredi*. Or, Novalis relève bien de la germanistique héritée.

Quand Tournier situe *Tristan et Iseut* « entre d'une part stabilité **marmoréenne** et **lunaire**, et d'autre part vibration pétillante et solaire » (VV, p. 37), il place son *Vendredi* dans la lignée du grand mythe exalté par Denis de Rougemont : Vendredi ne chemine-t-il pas de l'opacité de la nuit à la révélation de la lumière ? Plus prosaïque mais aussi significatif est l'intérêt juvénile de Tournier pour le mythe toujours renouvelé de **l'enfant sauvage** : il y a un peu de Tarzan chez Vendredi : « il grignote dans les arbres des choses amusantes et sucrées, puis il va jouer avec ses amies les bêtes » (VV, p. 194).

Plus gravement, en écrivant son initiatique *Vendredi*, Tournier ne pouvait aisément se démarquer du grand œuvre initiatique de Thomas Mann, *La Montagne magique* — auteur allemand lui aussi. Il l'évoque sous le titre de « L'initiation morbide » dans *Le Vol du vampire* (p. 291). Faire de la **maladie** une voie initiatique — surtout dans le milieu clos du sanatorium et selon des affinités électives — c'est introduire un aspect scientifique plus ou moins médicalisé ou psychologisé dans l'évolution fatale de la maladie vers la mort et si, par bonheur, le malade en réchappe, il accède par cette « voie mauvaise mais géniale à une santé supérieure », corps et esprit : ce que ressent Robinson à la fin de *Vendredi* :

> En vérité cette longue agonie, ce noir cauchemar n'avaient jamais eu lieu. L'éternité, en reprenant possession de lui, effaçait ce laps de temps sinistre et dérisoire. (V, p. 254)

G. Les maîtres

En annexe au *Vol du vampire* (p. 391), Tournier désigne ses maîtres :
– **Maurice de Gandillac**, successeur de Sartre au lycée Pasteur de Saint-Germain-en-Laye :

> Un aspect de son cours, c'était les prolongements littéraires de la philosophie classique […] on devine l'importance que cet aspect de son enseignement devait revêtir pour le futur romancier que j'étais.

Tournier commence ainsi à mesurer « toute la misère des lettres réduites à elles-mêmes, je veux dire privées de la magie du regard philosophique » (p. 395)
– **Lévi-Strauss** : par la référence inattendue à un critique américain, Tournier avoue « la filiation secrète de son roman lyrique *Vendredi* avec son maître Lévi-Strauss dont l'enseignement était propre à donner à l'esprit plus les ailes de la poésie que les semelles de plomb de la science » (p. 398).

En évoquant deux autres maîtres, **Ernst Jünger** et **Maurice Genevoix** (VV, p. 405-409), Tournier s'attache à démontrer l'importance des sciences naturelles et de la connaissance du monde animal pour l'écrivain : *Vendredi* n'oublie pas les fleurs et les papillons de Jünger ni les bonds caprins des bêtes dans les forêts de Genevoix.

H. Le siècle philosophique

Outre ces auteurs modernes, on découvre à la lecture de *Vendredi* des réminiscences d'ouvrages appartenant parfois à des siècles antérieurs. Il en est ainsi pour le 18e siècle avec, par exemple, la « statue » humaine imaginée par Robinson dans son *log-book** (p. 69) :

> Et si la statue était *pleine*, d'une plénitude monotone, homogène, comme celle d'une poupée de son […] Je pense que l'âme ne commence à avoir un contenu notable qu'au-delà du rideau de peau […] et qu'elle s'enrichit indéfiniment à mesure qu'elle s'annexe des cercles plus vastes autour du point-moi.

Une **statue** qui ressemble fort à celle de **Condillac** en son *Traité des sensations* (1754) : statue animée, « organisée intérieurement comme nous » et ayant l'usage des cinq sens. Ses premières expériences : sensa-

tions, gestes, cris, perceptions, combinées entre elles, finiront par constituer la totalité des facultés de *l'âme*.
Du 18e siècle encore, *Paul et Virginie* de **Bernardin de Saint-Pierre** dont Tournier semble avoir retenu, outre le phénomène d'insularité et l'organisation de la vie sur l'île, des éléments épars diversement réemployés : ainsi, le nom de *Virginie*, l'héroïne de Bernardin de Saint-Pierre, devient celui d'un bateau chez Tournier. Virginie et Lucy sont pareillement évoquées en mer, l'une à la galerie de la poupe du Saint-Géran, l'autre à l'encorbellement de son galion —, Paul et Robinson se jettent pareillement à l'eau pour les rejoindre, en vain, Virginie mourra, Lucy est déjà morte. D'autres détails de *Paul et Virginie* se retrouvent chez Tournier : les chiens — Fidèle chez l'un et Tenn chez l'autre ; les **arbres symboliques** : les trois pins noués fraternellement chez Tournier (p. 126) sont comparables aux deux cocotiers entrelaçant leurs palmes (p. 104) chez Bernardin de Saint-Pierre, les arbres symbolisant des personnages. Chez les deux auteurs, les arbres inversés, racines en haut, sont nés du chaos, mais, dressés vers *le ciel* immuable, ont cependant quelque chose de positif (V, p. 163). L'importance de la Bible est identique chez les deux auteurs : on la lit ensemble, mais surtout, tous deux ont la même idée de doter l'île d'inscriptions morales, *en latin* chez Bernardin de Saint-Pierre (mais traduites) (p. 103) : « les pleurs essuyés, le repos de Virginie, la découverte de l'amitié » — *en clair* chez Tournier, extraites des almanachs de Benjamin Franklin comme : « Ne gaspille pas le temps, c'est l'étoffe dont la vie est faite » (V, p. 139).

I. Jean-Paul Sartre

Dans *Le Vent Paraclet*, Tournier raconte comment il a découvert Sartre avec *L'Être et le Néant* en 1943 : « œuvre massive, hirsute, débordante d'une force irrésistible, pleine de subtilités exquises, encyclopédique, superbement technique, traversée de bout en bout par une intuition d'une simplicité diamantine [...] Un système nous était donné [...] [une] nouvelle bible » (VP, p. 159-160). Nous avons souligné dans cette citation des termes qui pourraient s'appliquer à *Vendredi ou les limbes du Pacifique* ; de ces goûts littéraires, Tournier fera une démonstration diffuse dans son roman. Seulement, deux ans plus tard (25 octobre 1945), après une conférence de Sartre à la Sorbonne sur « l'existentialisme est un humanisme »,

Tournier déchante et condamne l'évolution de Sartre vers la politique, aussi bien que ses vieilles idées exprimées sept ans plus tôt dans *La Nausée* où « un imbécile [l'Autodidacte] se réclame de l'Humanisme, cette ganache éculée » (VP, p. 160-161). Ce qui n'empêche pas l'influence formelle du **style** de Sartre sur celui de Tournier : le fameux épisode de la racine dans *La nausée* de Sartre semble avoir quelque écho dans *Vendredi* :

SARTRE (p. 178)	TOURNIER (p. 189)
« Un arbre gratte la terre sous mes pieds d'un ongle noir [...] La racine du marronnier s'enfonçait dans la terre, juste au-dessous de mon banc [...] J'étais seul en face de cette masse noire et noueuse qui me faisait peur [...] Cette racine était pétrie dans l'existence [...] serpent ou griffe ou racine ou serre de vautours, peu importe [...] La souche tout entière me donnait à présent l'impression de rouler un peu hors d'elle-même »	« Il sentit quelque chose remuer sous sa main posée à plat sur le sol [...] La terre remua et quelque chose en sortit. Quelque chose de dur et de froid qui demeurait fortement ancré dans le sol [...] Une racine. [...] Les racines prenaient vie et saillaient d'elles-mêmes hors de terre [...] La souche dressée verticalement tenait embrassée toute une colline de terre dans ses bras crochus [...] Robinson flottait désormais libre et apeuré ».

À la suite de l'épisode, Sartre décrit une sorte de vision catastrophique :

> Les arbres flottaient. Un jaillissement dans le ciel ? Un effarement plutôt ; à chaque instant je m'attendais à voir les troncs se rider comme des verges lasses, se recroqueviller et choir sur le sol. (*La Nausée,* p. 188).

À quoi s'apparente celle de Robinson :

> C'est alors qu'il vit sans erreur possible toute une constellation glisser d'un coup vers la droite, disparaître derrière un rameau et reparaître de l'autre côté [...] Le grand cèdre glissait lentement parmi les étoiles et s'abattait avec un grondement de tonnerre au milieu des autres arbres. (V, p. 189)

Quand Robinson sent que son bras droit tendu hors de sa couche s'engourdit, « meurt », il le saisit entre le pouce et l'index de sa main gauche et le soulève « comme une chose étrangère » (V, p. 87), il fait incontestablement une expérience sartrienne comparable à celle de Roquentin s'examinant dans un miroir (*La Nausée*, p. 32). Comment ne pas être frappé par le prénom de *Lucie* donné par Sartre à un personnage rendu inaccessible à Roquentin (*ibid*, p. 46) — et celui de *Lucy* choisi par Robinson — ou encore par une phrase qu'aurait pu écrire Robinson après usage de son *log-book* :

> Je trace quelques mots, sans courage, je bâille, j'attends que la nuit tombe. Quand il fera noir, les objets et moi, nous sortirons des **limbes**. (*La Nausée*, p. 29)

Sortir des limbes — le vain espoir de Robinson.

J. Kaléidoscope

Tournier joue des tons et des tours recueillis dans ses lectures :
- ton **gidien** des *Nourritures* : « *Il y a des silences aériens et parfumés comme des nuits de juin en Angleterre* » (V, p. 85) ;
- ton **baudelairien** : « *Je tâtonne à la recherche de moi-même dans une forêt d'allégories** » (V, p. 232) ;
- tour **kafkaïen** de *La Colonie pénitentiaire* quand s'inscrivent dans la chair les souvenirs, les dogmes, jusqu'à [lui] donner de l'esprit (V, p. 35, 140, 149) ;
- ton **bachelardien** de *La Flamme d'une chandelle* quand Robinson découvre le mythe de la chandelle (V, p. 96).

K. Bilan

Son subit intérêt pour *Robinson Crusoé* a concentré l'activité littéraire de Tournier sur le destin du héros de Daniel Defoe vu à travers la longue lignée des robinsonnades, sans pour autant effacer dans son œuvre la marque plus ou moins profonde de ses lectures passées. Il en admet l'influence et cite ses auteurs de prédilection dont certains surprennent chez un écrivain empreint de culture philosophique. Resté fidèle à sa germanistique, il reconnaît volontiers ce qu'il doit à des auteurs allemands comme Novalis, Thomas Mann ou Ernst Jünger. À la lecture, on décèle chez lui des influences plus discrètes notamment celle des Lumières du siècle philosophique. Tournier a su conserver « *la magie du regard philosophique* » sur et dans son œuvre romanesque — le regard de Robinson sur Robinson dans son *log-book** — une magie qui faillit se muer en cauchemar avec l'évolution de la pensée sartrienne : Tournier eût pu en être ébranlé. Dans *Vendredi ou les limbes du Pacifique*, il règle ses comptes avec l'auteur de *L'existentialisme est un humanisme* et met en balance **philosophie** et **création littéraire** : *l'autrui* de Sartre n'est plus un regard qui agresse *ma* liberté, il est, avec Vendredi, un être de chair et de sang qui empêche Robinson de sombrer définitivement dans la démence.

VII. MYTHES ET THÈMES SYMBOLIQUES

Le vrai Robinson, mué en personnage romanesque, est devenu, robinsonnades après robinsonnades, **un mythe** à lui seul. L'ampleur de son prestige se mesure à sa durabilité et à la fascination qu'il exerce sur la conscience collective. Modèle littéraire, Robinson séduit par son aptitude à gérer la solitude. Lui-même, îlot de conscience enchâssé en son île, s'est fait architecte de ses actes et de son destin, créateur d'un insulaire univers offrant, comme modèle, un sens à l'aventure humaine. Loin de l'usure et de la dégradation, le substratum*mythique de l'homme et de l'île s'est a contrario enrichi au fil du temps. Le Robinson de Tournier n'est pas celui de Defoe, loin s'en faut ; nous avons vu que, par bien des aspects, il en est même aux antipodes.

Dans ces deux *Vendredi*, Michel Tournier **démystifie*** Robinson et, du même coup, le **démythifie*** sans pour autant altérer le mythe littéraire ; c'est tout le paradoxe du travail de réécriture : s'attaquer au mythe robinsonnien ne constitue ni une entreprise iconoclaste*, ni une érosion du mythe mais plutôt une re-création, un **mythe modernisé** revêtu de significations neuves ouvertes à la culture de notre époque. Recréer, c'est aussi pour Tournier être relu :

« J'écris moi [...] pour être relu [...] Mes livres doivent être reconnus — relus — dès la première lecture ». Récrire l'histoire de Robinson c'est instaurer une complicité entre auteur et lecteur, « enrichir ou au moins modifier [le] bruissement mythologique, [le] bain d'images dans lequel vivent [les] contemporains et qui est l'oxygène de l'âme » (VP, p 189-192). Cette esthétique de la création littéraire confère au mythe une vitalité nouvelle. C'est pourquoi **La fin de Robinson** dans *Le Coq de bruyère* interroge si fortement sur les intentions de Michel Tournier (cf. *supra* « **Avatars** »). Si Robinson est bien le mythe fondateur de ce qu'on appellera robinsonnade, il représente aussi le point d'ancrage de mythes adjuvants*— « en bordure », comme en des limbes — inscrits dans la conscience ou l'inconscient universels et dont la reviviscence est assurée par la magie fictionnelle* de la littérature. C'est le cas du premier *Vendredi* qui offre un bouquet de mythes assez foisonnant : entre autres, **les limbes, l'île, l'exotisme, le premier homme, le bon sauvage, les jumeaux, l'ogre, les mandragores.**

Sur le mythe en général, Tournier s'explique dans *Le Vent Paraclet* (p. 188-193) : le mythe est selon lui, une histoire fondamentale constituée de niveaux superposés allant croissant vers l'abstraction, depuis la simple narration — conte enfantin ou populaire — jusqu'à la connaissance, morale et métaphysique, jusqu'à l'ontologie*, sans cesser d'être la même histoire, sans qu'aucun privilège ne soit conféré à tel ou tel genre, roman, théâtre ou poésie.

Les thèmes mythiques sont universels, tout le monde les connaît sans connaître pour autant leurs origines souvent lointaines, enfouies quelque part dans la mémoire collective. Né on ne sait trop où ni comment ou pourquoi, le mythe peut resurgir partout sous diverses formes sans qu'on n'y prenne garde. La mythologie est « dans l'air » — dans l'air du temps pour l'homme —, dans l'air tout court pour l'animal (V, p. 223 : l'univers olfactif de la femelle agouti).

Certes, l'écrivain peut réintroduire dans son texte le mythe par petites touches mais il peut aussi s'en servir comme révélateur dans et pour une société qui ne voit plus le sens des choses : grandeur, beauté, magnificence, sentiment. La littérature doit « irriguer et renouveler » les mythes sous peine de mort car un mythe mort n'est plus qu'une allégorie*, sorte de statue de plâtre, à l'opposé de l'œuvre véritable, vivante et proliférante, devenue mythe à son tour, « actif au cœur de chacun » (VP, p. 193).

A. Les limbes*

Ainsi, avec les **limbes***, on est vraiment dans une archaïque mythologie, absente des Écritures : séjour sans souffrance où les âmes justes attendent l'avènement du Christ, aussi séjour des enfants morts sans baptême, les unes et les autres étant en somme « en bordure des enfers ». Tournier renouvelle le mythe en retenant cette idée de « marge », de « bord » : l'île de Robinson est en bordure du Pacifique d'où peut tout venir, bien ou mal, susceptible de faire de l'île un Éden ou un Enfer. Robinson y est comme un « **juste** conforme à la justice divine, à ses exigences » — dans l'attente d'un bateau salvateur.

B. Île

Le mythe littéraire de l'**île**, est très ancien : bien que déserte, l'île est propice aux naufragés. Quand la vigie crie « Terre ! » c'est pour tous l'espérance du salut, car l'île est bien Terre au milieu du grand Océan. Inconnue sur la carte, elle inquiète — qu'y trouvera-t-on ? — à la fois accueillante et menaçante. Elle est d'emblée le domaine des possibles et, par là, **élément majeur du thème de l'aventure**. Dans la navigation, elle représente l'arrêt dans l'espace et l'arrêt du temps. Pour le naufragé perdu, éperdu, le microcosme insulaire engendre des sentiments contrastés : désespoir face au « désert » — ce qui signifie d'abord sans humains —, espérance dans les potentialités de l'île. « Déserte » (relativement), elle appartient à l'imagerie populaire des tribulations maritimes : elle favorise la naissance du **merveilleux**, du **fantastique** aussi bien que l'apparition de fantasmes obsessionnels. Mythe né de la narration de navigateurs sauvés de naufrages, l'image de l'île bénéfique a hanté bien des esprits en quête de trésors, d'aventures, de rêves. Le personnage de Robinson est l'archétype* du marin disparu en mer pour tous mais sauvé par les vertus de l'île, bonne île, généreuse terre d'accueil, paradis malgré la solitude — une solitude enrichissante, productrice de longues pensées, finalement les seuls et vrais trésors de l'île. Le *log-book** est le réceptacle de telles longues pensées.

C. Exotisme

L'**exotisme** est inhérent au mythe de l'île — notamment de l'île dite déserte qui conjugue nudité et pureté de la nature, comme si l'on se trouvait aux premiers temps du monde — un monde apparemment édénique, loin ou hors du mal, où peuvent s'instaurer des relations idylliques entre hommes et femmes dans une sorte d'**innocence** première pareille à l'enfance, libérée des exigences du monde civilisé, une sorte d'oasis sans Dieu, bien éloignée de tout souci métaphysique. Dans les récits de marins, l'île ainsi présentée se pare d'une puissance suggestive qui l'apparente à un Eldorado sans or, métal lourd de malédictions. L'île « exotique » est une île au trésor sans vrai trésor sinon celui d'une vie à l'état de nature, un mythe qui en engendre un autre, aussi fameux, celui du bon sauvage.

D. Le bon sauvage

Il est clair qu'avec Vendredi, Tournier s'inscrit dans la continuité littéraire du mythe du **bon sauvage** où s'illustrèrent au cours des siècles Léry et Montaigne (16e siècle), Rousseau, Voltaire et Diderot (18e siècle) jusqu'à Chateaubriand. Le mythe sera lentement mis à mort par les premiers systèmes coloniaux et surtout par la traite des noirs. Selon qu'il est perçu comme provenant de quelque **Age d'or** lointain ou comme pareil au bestiaire qui l'entoure, le bon sauvage a toujours quelque chose de mystérieux, d'étrange, d'inquiétant, de maléfique qui déclenche chez le « civilisé » diverses réactions allant de l'indifférence au mépris. On s'en gausse, on le maltraite, on en use comme d'une bête. On peut aussi se montrer curieux de son exotisme, tenter de l'assimiler à la culture ambiante, notamment religieuse. En vain. Caché dans l'exotisme, il y a toujours un peu de racisme que le Robinson de Tournier subvertit par une fraternité gémellaire toute mythique*, voire mystique*.

E. Adam

Le mythe du bon sauvage rejoint **le mythe adamique du premier homme.** Sur l'île, Robinson est un être nouveau parmi le vivant, faune et flore. Si Robinson tue aussi facilement son bouc du premier jour, c'est que celui-ci reste figé à la vue d'un « animal » inconnu. Robinson émerge parmi les bêtes de l'île, comme sorti de terre, d'une terre dont il serait fait : quand il sort de la souille pour la première fois, il a l'aspect d'une « **statue de limon** » (V, p. 38). « Libéré de toutes ses attaches terrestres » (famille, amis...), pétri de cette terre — sa Bible le lui dit —, il redevient terreux.

F. Le double

Mais Adam ne vécut pas seul longtemps. Il eut sa compagne, un être complémentaire : un couple tendant vers l'unité. Robinson aura son compagnon qui, peu à peu, deviendra son **double** : un couple réalisant une unité gémellaire. Avec Vendredi, Robinson trouve **l'Autrui** qui lui manquait, un autre lui-même en quelque sorte, ce que la double illustration de Georges Lemoine (p. 103 et 104 de *La Vie sauvage*) montre bien : « Je suis Robinson disent-ils ensemble et face à face » (p. 103) « Je suis Vendredi disent-ils pareillement » (p. 104). Dans leurs jeux de rôles, « Robinson ressemblait tellement à Vendredi qu'il n'avait pas grand-chose à faire pour jouer son rôle. Il se contenta de se frotter la figure et le corps avec du jus de noix pour se brunir et d'attacher autour de ses reins le pagne de cuir des Araucans » (VS, p. 102). Le double exigeant la ressemblance, Robinson se prête aisément au jeu. Le phénomène du double représente souvent la négation d'un **moi douloureux** : dans *Vendredi ou les limbes du Pacifique*, Robinson veut oublier qu'il a été le maître parfois brutal de Vendredi, une repentance qui se partage, ou s'oublie ou se perd dans la gémellité.

G. L'ogre

Sur Speranza, apparaît un second type d'autrui, multiple — **le cannibale**, l'impossible alter ego*, "le vrai sauvage » symbolisé par une représentation mythique unique qui deviendra chère à Tournier : **L'Ogre** (cf. *Le roi des Aulnes*), et dans *Vendredi ou les limbes du Pacifique*, un ogre à plusieurs têtes, ravisseur et fort de ses sortilèges. En sauvant Vendredi — malgré lui — Robinson devient ravisseur à son tour. Et, faisant esclave Vendredi, « cet enfant livré sans défense sur une île déserte à toutes les fantaisies d'un dément [...] sous les espèces d'un démon », Robinson prend à sa manière des allures d'ogre. Pour arriver à former un couple gémellaire, il leur faudra **s'entre-dévorer** « afin qu'il n'en résulte qu'une chair deux fois plus lourde et plus chair que celle des jumeaux » (V, p. 231).

H. La mandragore

Les mandragores de *Vendredi ou les limbes du Pacifique* appartiennent à un très vieux mythe. La mandragore, par la forme humaine de sa racine, évoque comme précédemment dans le mythe adamique, la naissance tellurique* de l'homme. Elle a des vertus magiques que Tournier n'utilise pas dans son texte. Il lui invente une étrange naissance — nouvelle — qui exalte **la voie végétale** afin de montrer que, comme aux premiers jours du monde, plantes, animaux, hommes n'étaient pas si différents. La mandragore constitue une force agissante par la puissance de sa séduction (c'est aussi **une fleur**) mais n'a finalement qu'un rôle secondaire, passif. L'idée de l'unité profonde du couple s'élève d'un haut degré avec ce nouveau mythe de la mandragore pour atteindre celle « d'une unité universelle », un unitaire paradoxe « *pluranime** » (V, p. 231).

I. Les végétaux et les animaux

Dès son « arrivée » sur l'île, Robinson prend conscience de l'univers qui sera le sien *pour longtemps* — bien qu'il l'ignore en ce moment décisif — un univers végétal représenté d'emblée par une forêt, un monde qu'il voit fait de « tunnels, passerelles et cathédrales », un monde qu'il apprécie ainsi métaphoriquement en citadin natif d'York mais qu'il découvre en marchant, conformément à la géographie botanique des plus classiques : une flore en étages qu'un à un il « escalade » pour accéder à la fin à un massif rocheux surplombant toute l'île, une stratification végétale allant de la fougère aux épineux, aux arbres de plus en plus élevés — « lauriers, cèdres, pins enchevêtrés de lianes » — monde du « silence », de la « pénombre » où le vivant s'enracine dans la mort : « troncs pourrissants » et souches défeuillées (V, p. 16). À cette investigation de la flore **innombrable** — s'oppose aussitôt la confrontation avec la faune de l'île singulièrement représentée par un spécimen **unique** : un bouc. Par là même, on devine que, dans la suite, le végétal primera sur l'animal.

Végétal et animal ainsi campés en leur décor, Tournier en dessine le théâtre : de l'ouest à l'est, une abrupte falaise rocheuse portant « toison » (la forêt), une proéminence rocheuse percée d'une grotte, une prairie achevée en marécages qui se perdent dans une côte basse et laguneuse — le tout se profilant en une ligne en pente douce évoquant la forme d'un long corps féminin allongé sur le ventre.

J. L'île-femme

Ce corps féminin apparaît aussi, mais différemment selon la topographie de l'île figurée sur une carte approximativement dessinée par Robinson (V. p. 46) : « une femme sans tête, assise, les jambes repliées sous elle » — ce qui n'est pas une évidence pour le lecteur surtout quand Robinson lui voit « une attitude de soumission, de peur ou d'abandon » ; c'est alors le fantasme qui parle plus que la géographie, un fantasme qui augure la future relation fortement sexualisée de Robinson avec son île-femme.

En la baptisant d'un prénom italien ou plutôt d'une Italienne : « un très profane souvenir d'une ardente Italienne qu'il avait connue jadis quand il était étudiant à l'Université d'York. La simplicité et la profondeur de sa dévotion s'accommodaient de ces rapprochements qu'un esprit plus superficiel aurait jugé blasphématoire » (V, p. 46).

Michel Tournier, en « auteur de fiction » (comme il se dit dans *Le vol du vampire*) pense que son lecteur s'accommodera aussi bien de l'étrange présence d'une université à York à cette époque et de la non moins étrange présence d'une femme étrangère, de surcroît italienne, dans une université anglaise du 18e siècle.

Il reste que Robinson fait de son île une femme dont le corps s'inscrit dans sa configuration : l'île c'est elle, formule qui se lit par homophonie il = elle, adéquation androgyne* du double. Tournier lui-même en donne la clé : « Il y a désormais un **JE** volant qui va se poser tantôt sur l'homme, tantôt sur l'île et qui fait de moi tour à tour l'un [**IL**] ou l'autre [**ÎLE**] » (V, p. 89).

Cette île réputée déserte se trouve peuplée de sites, d'arbres, d'animaux qui par le système fictionnel de Tournier se changent en sites-personnages, en arbres-personnages, en bêtes-personnages — voire en personnes.

K. La mer

Le titre semble privilégier le Pacifique : « La mer était partout » constate d'abord Robinson (V, p. 18) qui va, « tournant le dos obstinément à la terre » scruter « la surface bombée et métallique de la mer d'où lui viendrait le salut » (V, p. 21), vain espoir que peu à peu une pesante attente passive va changer en triste réalité : la mer ne sera plus « qu'une vaste plaine océane miroitante et glauque » dont le perpétuel mouvement provoquera chez Robinson un phénomène hallucinatoire, la vision « d'une surface dure et élastique sur laquelle il pourrait s'élancer et rebondir » (V, p. 22), un bond en avant qui se réduira à un simple cabotage (V, p. 83) ou à un peu de pêche (V, p. 205). Il n'y nage que par nécessité pour inventorier les restes de la Virginie ou sous l'emprise d'une hallucination pour tenter de rejoindre le spectre de sa sœur Lucy sur un galion imaginaire. La mer ainsi dédaignée, Robinson la domestiquera en de vulgaires viviers utilitaires pour écrevisses ou anges de mer.

Robinson, en ses limbes, vit en marge de la mer, il nie le Pacifique comme personnage. Malgré la kyrielle incantatoire des sites-personnages : « Le soleil, la mer, la forêt, l'azur » (V, p. 74) la mer ne représentera même plus le salut quand elle lui apportera le *Whitebird.* **Le meurtre de la mer** est consommé quand repart le navire.
Dans un de ces moments de méditations, Robinson voit le monde entier — celui de son île — comme frappé d'immobilité. Dès cet instant, le Pacifique en restera figé à ses yeux alors que forêt, soleil, azur vont continûment s'animer pour lui et par lui.

L. L'arbre

Voué par sa mère au vert contre le bleu (V, p. 74), Robinson semble lui obéir en se coiffant d'entrée d'une fougère roulée en cornet (V, p. 16) mais, mises à part les cactées, c'est à l'arbre et à sa multiplication forestière que va la prédilection de Robinson. L'épisode des cactées montre cependant comment Tournier approche les êtres et les choses : une approche « scientifique » teintée d'encyclopédisme (les noms latins des cactus), une approche métaphorique (l'anthropomorphisme des cactées dotées d'épaules, de membres, de doigts, de fesses, de phallus), une approche visant à la cohérence pour inclure l'épisode dans un semblant de logique romanesque (la réalisation *antérieure* de son jardin de cactées et la référence inattendue au père) (V, p. 158). Cette démarche de symbolisation anthropomorphique*, non dénuée d'humour, va conduire Tournier à une systématisation de la métaphore* de la personnification du végétal en l'humain : il y aura donc une imaginaire famille dendrique* quasiment complète sur l'île, sans doute pour pallier l'absence d'une vraie famille :
– **l'arbre-femme** baptisé *Quillai* (du nom d'un arbre fort méconnu des lexiques) dont l'éloquente majuscule et la morphologie phalloïde viennent confirmer l'usage qu'en fait Robinson (V, p. 121) ;
– **la mère-arbre** — celle de Robinson toujours présente dans l'imaginaire du solitaire « portant ses enfants comme un arbre ployant sous l'excès de ses fruits » (V, p. 108) ;
– **l'arbre-berceau** : l'*araucaria** partagé entre Robinson et Vendredi — Vendredi *l'araucan**, frère en étymologie ethnique de cet arbre ;
– **l'enfant-arbre** : il arrive ce qui devait arriver : « sous une chaude caresse », Robinson devient, en son berceau, enfant doté de poumons,

« fleurs charnelles » et « d'un tronc gonflé de sang vermeil » avec, comme précédemment, le recours romanesque à un aérien souvenir d'enfance au haut du clocher de la cathédrale d'York (V, p. 203).

Pour être complet, il eût fallu rendre féconde « la liaison heureuse » avec Quillai, une impossibilité que contourne Robinson en y introduisant — non sans contorsions — l'intermédiaire le plus prolifique qui soit : la **terre,** « inépuisable et suprême matrice » (Victor Hugo). Ce sera donc par « l'humus, la racine des herbes, les bourgeons en gestation » que Speranza, en d'étranges épousailles avec Robinson, lui donnera, dans une transe universelle de la végétation, les « enfants » qui auraient pu manquer à l'arboretum* familial de l'île (V, p. 126). Belle occasion pour Tournier de lier ce cas singulier à un vieux mythe, celui de l'homme-plante, *l'homunculus*, la mandragore, racine à forme humaine, fille naturelle de « l'homme au grand corps blanc comme **une racine** » (V, p. 156).

M. Le Cantique des cantiques

La filiation ainsi assurée résulte cependant de **noces monstrueuses** qui, compte tenu de la période historique conservée par Tournier (seconde moitié du 18e siècle), sent quelque peu le fagot. Aussi, le quaker* a bien besoin de la caution de la Bible pour tenter d'exorciser le démon d'une lubricité anti-physique notamment en sollicitant avec outrecuidance* le magnifique texte du Cantique des cantiques pour justifier son acte. Il y ajoute une explication à caractère pseudo-scientifique par référence au « géotropisme* » du sexe mâle après, il est vrai, l'annonce d'un aveu qui vaut confession : « privé de femme, j'en suis réduit à des amours immédiates » (V, p. 133). Le *log-book** joue alors sa fonction de déculpabilisation.

C'est sous son **cèdre** — l'arbre des arbres, l'arbre total selon la Bible (**Ezéchiel**, XXX, 3-8) — que « semblable encore au premier homme sous l'Arbre de la Connaissance » (V, p. 31), Robinson scelle solennellement l'accord de son sexe — plus que son cœur — avec les textes sacrés. Rien ne manquera à ce mariage tellurico-humain, pas même l'accompagnement de l'orgue nuptial : « le cèdre géant de la grotte ronfle comme un orgue » (V, p. 134).

Comme chez Flaubert, comme chez Voltaire, il est heureux que Tournier ait eu le bon goût de dégonfler l'emphase quelque peu amphigourique* de l'épisode par une chute humoristique digne des contes burlesques : « la barbe de Robinson se met à prendre racine dans la terre ! » (V, p. 40)

La voie végétale a conduit Robinson à de démentes aberrations dont il a conscience : « fantaisie de dément » écrit-il — aussi bien qu'il a conscience de sa monstruosité qu'il voit en Vendredi « comme dans un miroir déformant » (V, p. 55).

N. L'étrange bestiaire

Il n'y aura pas de voie animale comparable, encore que c'est le tableau animalier des pécaris se vautrant dans la vase liquide qui donne prétexte à Tournier d'y plonger Robinson lequel fera de la souille* un lieu de « rêverie **hébétée** » (V, p. 38-39) — mieux vaudrait dire **abêtie** car il s'y rend en rampant sur le ventre ou en se servant de ses mains pour marcher comme le font les singes. Une fois encore, le souvenir vient clore l'épisode (cf. les cactées ou l'arbre au berceau) : « il retrouvait les heures feutrées qu'il avait passées, enfant, tapi au fond du sombre magasin de laine et cotonnade en gros de son père » (V, p. 39). Ainsi, « la souille lui apprit qu'il était davantage qu'il n'avait cru, le fils du petit drapier d'York ».

Robinson s'intéresse passionnément aux mœurs nuptiales des insectes, en particulier pour le rôle d'entremetteuse que joue la fleur nommée *aristoloche syphon*, en un système sophistiqué d'insémination à distance — et Robinson de se rêver tel un insecte butineur pour aller féconder à York sa femme esseulée et peut-être remariée… (V, p. 120)

Même empruntée à Darwin (cf. Arlette Bouloumié, *op. cit*), la description des vautours, des crabes ou du cheucau montre la propension de Tournier à utiliser les habituels ingrédients animaliers du fantastique ou du genre de l'horreur. C'est notamment le cas avec le **vampire** « aux ailes griffues et déchiquetées qui, accroupi sur le garrot d'un chevreau, le vide de son sang » (V, p. 47) ou d'un **poulpe**, bête d'angoisse — une angoisse que Robinson a du mal à chasser quand bien même il découvre les minuscules dimensions de l'animal. Et tout ce **bestiaire maudit** danse autour de Robinson une ronde obsédante que la souille* a le pouvoir antidotique* d'éloigner.

Autre animal d'angoisse : le **rat**, d'autant plus redoutable qu'il est intelligent et surtout qu'il se multiplie à profusion. Robinson craint l'hostilité haineuse de cette « méprisable bestiole » grise ou noire selon sa race. Le duel entre les deux races est homérique (V, p. 86). Tournier le ponctue de deux appréciations métaphoriques : « récréation **infernale** » et « plaintes **d'enfant** » — Robinson conçoit ainsi que même chez l'animal le plus répugnant, le *De profundis* a toujours quelque chose d'humain, effet de la pitié qu'il suscite.

O. La Bête

Cette mort collective — celle des rats noirs — semble clore le cycle détestable des animaux immondes que la première rencontre de Robinson avec le bouc avait initié. La **Bête** fait naître en lui une « peur superstitieuse » et s'il la tue aussi vivement c'est à cause du ricanement qui jaillit de son ventre (V, p. 17). Il est évident que la Bête est là pour ouvrir la danse diabolique qui suivra car, à n'en pas douter, le bouc est bien la figure même du **Diable** dont il a le rire sarcastique*. L'île eût pu être Île du Diable. C'est la transfiguration magique du bouc Andoar qui donnera au nom même de Speranza tout son sens. En effet, par sa réputation, le bouc diabolique aurait pu semer la désolation.

C'est dans une sorte de colère sacrée mêlée de peur que Robinson tue son bouc, c'est dans **un combat de cirque** que Vendredi tue le sien, identique représentation du Diable : il en a « l'épouvantable puanteur, le même ricanement sardonique, le masque faunesque ». « Bientôt je le ferai voler et chanter » dit Vendredi, après la mort d'Andoar en un jeu de cirque à l'antique : Vendredi y fait l'éloge de son adversaire qui, de son côté, semble saluer un public imaginaire (V, p. 96).

Vendredi inverse ainsi le sens du cycle infernal des bêtes d'angoisse : il va jusqu'à élever un petit vautour comme un petit d'homme (V, p. 172) et magnifie le bouc satanique. Robinson finit, non sans colère, par en être troublé jusqu'à tenter de pénétrer le système olfactif d'un animal — une femelle agouti — pour en comprendre « la profondeur incomparable » au regard de l'œil humain (V, p. 244).

Hormis le bestiaire sauvage, *Vendredi* contient aussi un hymne à la gloire du **chien** en général et de Tenn en particulier :

> Le chien est le compagnon naturel de l'homme [...]
> Je lirai dans ses bons yeux noisette si j'ai su me tenir à hauteur d'homme [...] (V, p. 64, 65)

Et Tenn de le récompenser de son sourire canin (V, p. 91). À son tour transfiguré, Robinson n'écrira plus avec une plume maudite de vautour mais avec une plume d'albatros, l'oiseau du poète (V, p. 213).

P. Le fantastique ou le merveilleux ?

À lire *Vendredi*, on a le sentiment que Tournier aurait pu écrire un roman fantastique — en a-t-il eu la tentation ? — mais que, par la force de l'écriture, il a tendu vers le merveilleux, au point que, *in fine,* il semble en oublier le Pacifique, transfiguré lui aussi en une inattendue image de Méditerranée provençale :

> Une cigale grinça. Une mouette tournoya dans l'air et se laissa choir sur le miroir d'eau. Elle rebondit à sa surface et s'éleva à grands coups d'ailes, un poisson d'argent en travers du bec. (V, p. 253)

Bien sûr, il existe une espèce de cigale tropicale. Mais Tournier a lu Giono et la cigale de Giono chante mieux pour fêter la fin heureuse de *Vendredi ou les limbes du Pacifique*.

VIII. AVATARS*

A. La vie sauvage

En 1971, l'année de son voyage en Inde, Tournier fait paraître un premier avatar* de son *Vendredi ou les limbes du Pacifique* sous le titre *Vendredi ou la vie sauvage* comportant vingt pages d'illustrations de Georges Lemoine d'une facture qui s'apparente à celle des bandes dessinées. Tournier s'inscrit ainsi dans une tradition robinsonnienne commencée en 1805 avec un **Robinson** en images de F.A.L. Dumoulin considéré comme la « première bande dessinée littéraire ». D'abord édité chez Flammarion en album illustré, l'ouvrage de Tournier sera intégré à la collection Folio-Junior avec l'assentiment probable de l'auteur (1977). Aussi, peut-on s'étonner qu'il refuse qu'on puisse prendre *Vendredi ou la vie sauvage* comme une version de son *Vendredi ou les limbes du Pacifique* adaptée aux enfants :

> Je n'écris pas pour les enfants déclare-t-il. Jamais. J'aurais honte de le faire. Je n'aime pas les livres écrits pour les enfants. C'est de la sous-littérature. (Mag L)

Il ajoute qu'il suffit de bien écrire pour rendre les œuvres accessibles aux enfants. Son vrai style, selon lui, est « destiné aux enfants de douze ans » (*Événement du jeudi,* à Jérôme Garcin, 9/01/1986) — toutes déclarations qui souffrent, semble-t-il, de quelque contradiction. Le style à lui seul ne saurait écarter des considérations morales ou psychologiques qui doivent présider à la production de ce qui est ou peut être lu par les enfants, surtout quand on se targue de pédagogie :

> Dans **Vendredi ou les limbes du Pacifique,** j'écrivais : « Sur la plage, la yole et la pirogue commençaient à s'émouvoir inégalement des sollicitations de la marée montante ». D'une telle phrase, il y a quinze ans, j'étais fier. Eh bien, deux ans plus tard, je donnais à **Vendredi** une nouvelle version sous le titre **Vendredi ou la vie sauvage**, et cette phrase est devenue : « Sur la plage, le canot et la pirogue commencent à tourner, atteints par les vagues de la marée montante ». Fini le charabia : voici mon vrai style. (*Événement du Jeudi, op. cit.*)

Outre que les deux phrases n'ont pas le même sens, quel surprenant reniement à l'égard d'un livre honoré par l'Académie Française, temple, conservatoire de la langue française ! Dans l'excès de la démonstration, Tournier n'ira-t-il pas jusqu'à considérer le premier *Vendredi* comme un « brouillon » préalable à ce que les écoliers appellent le « propre ».

À la lecture de *Vendredi ou la vie sauvage*, on constate que Tournier s'est livré à une **auto-censure** qui édulcore un texte quelque peu sulfureux : le relevé des suppressions à connotation sexuelle, malséante ou délirante le prouve. Disparaissent entre autres : le cadavre dans l'épave (V, p. 24), la nudité (V, p. 29), la souille (V, p. 37), l'ardente Italienne (V, p. 45), l'énigmatique empreinte du pied (V, p. 56), la sorcière vomissante (V, p. 76), la nuptialité animale (V, p. 119), le quillai (V, p. 121), la combe rose (V, p. 136), les mandragores (V, p. 137), les cactées (V, p. 162), la trahison de Vendredi (V, p. 176), l'exaltation des corps (V, p. 224-225).

On comprend que, pour une version « pédagogique », de telles suppressions s'imposaient. Tournier précise cependant : il y a dans *La Vie sauvage* une « sexualité diffuse » qui ne relève pas de la « sexualité génitale » (*Quinzaine littéraire*, 16/12/1971) : par exemple, dans l'épisode ajouté de l'affection unissant Vendredi à la petite chèvre Anda, affection qui provoquera la jalousie d'Andoar (VS, p. 117). S'en suivra le combat déjà connu avec le bouc diabolique mais cette fois-ci dans un contexte autrement sentimental. Avec de telles modifications, *Vendredi ou la vie sauvage* apparaît bien comme une version qualifiée d'« enfantine » par Gérard Genette dans *Palimpsestes* (p. 522).

D'autres nouveaux épisodes modifient le sens du premier *Robinson* de Tournier. L'aventure devient créative : « Invention du théâtre, de la poésie, du silence, du langage des mains » selon Tournier (*Quinzaine littéraire*, *op. cit.*). Il s'agit essentiellement de la cuisine à l'argile, de la broche à œuf, de l'art de faire du sucre (VS, p. 95-97), de l'utilisation du mélange résine/poudre pour entretenir feu et lumière (VS, p. 107), de la bavarde présence de perroquets qui introduit l'épisode imagé du langage des mains enseigné à Robinson par Vendredi (VS, p. 112-115). Ces ajouts manifestent chez Tournier le désir de revenir plus clairement aux notions lévi-straussiennes sur l'ethnographie heureusement complétées par des jeux poétiques (devinettes, métaphores, découvertes, portraits) qui sont d'abord des jeux sur les mots (VS, p. 108-111) : Vendredi manifeste pour les mots le même vif intérêt que le jeune Tournier à l'époque de sa découverte de mots savants sur les fascinantes étiquettes des bocaux de la pharmacie de Bligny :

> Et quels mots ! A la fois **mystérieux** et d'une extrême **précision**, ce qui définit les deux attributs essentiels de la poésie. (VP, p. 12)

La différence est que, de l'un à l'autre, on passe de l'écriture (Tournier) à l'oralité (Vendredi). Il reste que de telles additions ne comblent pas la disparition de ce qui fait de *Vendredi ou les limbes du Pacifique* le livre d'une pensée : la Bible absente, plus de prières, ni de longues citations du *Cantique des Cantiques* ou de l'*Ecclésiaste.* On assiste à une **laïcisation** et une **rationalisation** du texte qui éliminent le Nazaréen en même temps que Narcisse (VS, p. 90), prosaïsme aussi : le *log-book** est supprimé au profit du vécu. Plus de « moments d'innocence » (V, p. 93) ou d'autre île ou d'autre Vendredi (V, p. 94). L'effet réducteur de la réécriture balaie l'essentiel de *Vendredi ou les limbes du Pacifique*, ce que nous avons appelé **le parcours initiatique** dans lequel s'inscrivait **la métamorphose d'un homme** — intention pédagogique oblige, à preuve la précautionneuse note de la page 76 par laquelle Tournier justifie sa réintroduction dans *Vendredi ou la vie sauvage* de l'épisode des asticots mâchés :

> Il est vrai que pour nourrir un petit oiseau tombé du nid, il faut bien mâcher soi-même tout ce qu'on lui donne. Mais bien sûr on n'est pas obligé de prendre des asticots.

Pour plaire aux enfants nourris de Westerns, l'Araucan se change en **Indien**, un Indien que Robinson entoure d'un plus grand respect : par exemple, il ne lui fera pas cirer les galets de la voie principale de l'île, un inutile travail d'esclave (V, p. 151).

La réduction est évidente dans la structure même du texte, stricte réduction de moitié : 248 pages contre 124, illustrations non comprises. L'essentiel des douze chapitres de *Vendredi ou les limbes du Pacifique* se trouve réparti en 37 courtes séquences d'une lecture plus aisée pour un jeune public. De même le long prologue a disparu, le tarot étant remplacé par un simple jeu de cartes. Le roman s'est mué en **conte** narré à la troisième personne. Pour ce faire, Tournier y privilégie la simplicité, le concret, la description, l'action — tout ce que Tournier a appris de l'oralité chez les peuples archaïques qu'il a rencontrés.

En amputant son premier texte de ce qui en faisait l'originalité, Tournier amorce avec *La vie sauvage* une sorte de retour à Defoe, son premier modèle : Genette le suggère (*Palimpsestes, op. cit.*, p. 522). Un second avatar commis par Tournier le confirmerait-il ?

B. La fin de Robinson

Ce second avatar est un texte très court (quatre pages), glissé dans *Le Coq de bruyère* en 1978 (p. 21 à 25) intitulé : *La FIn de Robinson Crusoé.*

Il est clair que ce dernier texte est directement inspiré du *Robinson Crusoé* de Defoe et plus précisément de ses dernières pages, c'est-à-dire la « fin » du roman au sens d'épilogue*, une première interprétation du titre retenu par Tournier dans *Le Coq de bruyère* :

> Je me mariai [...] j'eus trois enfants [...] mais ma femme étant morte [...] mes inclinations à courir le monde et ses importunités prévalurent et m'engagèrent à m'embarquer [...] Dans ce voyage, je visitai ma nouvelle colonie dans l'île. (*Robinson Crusoé*, p. 479-480).

Tournier retient ce scénario à la différence que Robinson ne retrouve pas Speranza. Vieilli, il noie sa déception dans l'alcool devenant un pilier de cabaret en proie à la risée générale. Radoteur, il n'a que « son île » à la bouche. Il en rêve encore et en rêverait toujours si un vieux timonier ne l'avait pas détrompé :

> Ton île déserte, tu l'as retrouvée ! Tu es passé devant. Mais tu ne l'as pas reconnue.

Pourquoi ? parce que l'île a vieilli en même temps que Robinson. Ils sont désormais méconnaissables, l'une et l'autre, l'un pour l'autre.

Telle est la fin du Robinson de Tournier, la fin de la vie de son héros, autre interprétation du titre.

Mais ce titre est aussi la fin du cycle robinsonnien pour Tournier qui semble à ce jour avoir définitivement abandonné son personnage d'élection. Dans ce dernier avatar, Tournier fait un sort à Vendredi : ni Araucan, ni Indien, il n'est plus que nègre. Menant une vie dissolue, il boit, il « vole » Robinson — lui qui faisait « voler » (sic) Andoar ! Le texte de Tournier suggère que Vendredi a pu retourner sur l'île. **Avec ce dernier avatar, Tournier tue ce qu'il a adoré**.

L'ŒUVRE À L'EXAMEN

I. LES ÉPREUVES ÉCRITES

A. Le texte argumentatif

La confession du maître Robinson (extrait du *log-book*) chapitre VII p. 154 de *Vendredi ou les limbes du pacifique.*

De « Je n'attends pas beaucoup de raison d'un homme de couleur » à « sous les espèces d'un monstre, comme dans un miroir déformant. »

Questions (10 points)

1. À partir de quels indices reconnaît-on la théorie personnelle de Robinson ? (4 points)
2. Quel jugement porte Robinson sur Vendredi ? Justifiez en vous fondant sur des exemples précis. (2 points)
3. À quelle conclusion Robinson parvient-il ? Relevez tous les mots qui marquent son évolution. (2 points)
4. Déterminez la tonalité de ce texte. Identifiez au moins deux procédés. (2 points)

Travail d'écriture (10 points)

1. Robinson honore le travail en le qualifiant de « *bien suprême* ». Cette conception du travail est cependant vite remise en cause par l'auteur, qui prône plutôt comme valeur, à la fin du roman, l'oisiveté la plus totale.
2. Pensez-vous que le bonheur se trouve plus dans le travail que dans l'oisiveté ?

Proposition de corrigé

1. La théorie personnelle de Robinson

Les **indices** retenus sont tout d'abord liés à **l'énonciation**. Robinson exprime sa théorie sur « l'homme de couleur » à partir de termes ou d'expressions qui marquent un jugement de valeur : « devrais-je dire – pourrait-il, je ne sache pas – qu'il me coûte d'avouer – je me dois d'exprimer – je ne me risquerai jamais, comment s'en douterait-il ? – certes, je le bats – vivement il est vrai ». D'autres termes sont porteurs de sèmes dévalorisants : « indien et nègre – absurde et choquante tendresse – réactions déconcertantes – cet insensé ». Ces deux types de marques nous renseignent sur les préjugés racistes qu'éprouve Robinson à l'égard de Vendredi. À ces indices d'énonciation on peut également ajouter des **indices d'organisation** : en effet le texte est parsemé **de connecteurs* argumentatifs** (*du moins – Or – En vérité – mais – parce que – Pourtant – mais – certes – mais – Pourtant – Or – Et – Alors – et – Mais – car*). Ces connecteurs mettent en valeur la progression de l'argumentation. Les **tournures interrogatives** apportent une dynamique nouvelle au texte par un jeu de questions-réponses qui peuvent aussi être lues comme des indices d'organisation. Enfin, les **indices lexicaux** permettent la mise en valeur de **champs lexicaux** comme celui du sentiment introduit surtout dans la première partie du texte : « sentiment – tendresse – affection – regret – aime-moi – m'aimer – pitié » qui s'oppose à celui de la raison.

2. Le jugement de Robinson

Dès le début du texte, Robinson considère Vendredi d'un point de vue dépréciatif notamment par l'emploi de la structure négative : « Je n'attends pas beaucoup de raison d'un homme de couleur ». Le commentaire du terme **couleur** explicité par **indien et nègre,** induit une vision effectivement péjorative par le lexique qui suit : « absurde – choquante tendresse » ; cette affection est dirigée vers un animal et le réduit peu ou prou à une animalisation par contamination sémantique, « ses réactions sont déconcertantes – cet insensé », ce qui confirme la vision négative de Robinson à l'égard de Vendredi. Ce jugement rejoint le comportement violent que Robinson exerce à son endroit « je le bats – je lui expliquais, assez vivement ».

3. La conclusion de Robinson

À la fin du texte, Robinson offre une vision neuve et chrétienne de Vendredi, « l'homme coloré » devient « enfant livré sans défense sur une île déserte » ou « compagnon », le sentiment de révolte ou d'agacement s'est mué en « pitié ». Cette rupture se traduit dans le texte par le connecteur* argumentatif « alors ». Du préjugé énoncé au début du texte « Je n'attends pas beaucoup de raison d'un homme de couleur » Robinson conclut d'une manière inattendue par une vision lucide de lui –même : « le monstre » n'est pas celui que l'on croyait. Cette nouvelle adéquation : Robinson est à Vendredi ce que Vendredi est à Robinson, aboutit à une véritable fraternité.

4. La tonalité du texte

Robinson s'adresse à un locuteur fictif, celui qui un jour pourrait trouver son *log-book.* Cette situation d'énonciation donne au texte une **tonalité didactique** repérable à partir de plusieurs procédés : les **connecteurs*** qui ont une visée argumentative mais aussi explicative, **le parallélisme de la construction interrogative** : « comment s'en douterait-il ? comment ne comprendrait-il pas [...] ? » associés au **lexique** « je lui expliquais » et à l'emploi de **l'anecdote** — leur ensemble assurant la dynamique pédagogique.

Travail d'écriture

Analyse du libellé

Le sujet invite à réfléchir à la notion du bonheur. Le repérage des mots-clés « travail », « oisiveté » montre une opposition mise en évidence par le connecteur « cependant ». La question posée confirme cette distinction entre travail et oisiveté

Recherche du plan

I. Le bonheur et le travail

La **notion de travail comme valeur libératoire** existe dans la mesure où le travail devient l'expression de la personnalité, une œuvre manifestant l'expression du moi véritable. Le travail artisanal réconcilie l'homme avec lui-même, et parfois le fait communier avec la nature. Il devient activité libre et peut procurer alors une certaine ivresse. Ainsi Giono (que Tournier admire), dans *Que ma joie demeure*, exalte la noblesse du travail artisanal : « Bobi et Jourdan se reculèrent. [ils viennent de construire un métier à tisser et sont saisis d'admiration pour le travail effectué par Barbe, une vieille parente]. Ils étaient enivrés comme des alouettes devant cette vieille femme sèche qui tremblait sans arrêt dans un halo de petits mouvements précis et par ce mot de joie, joie, joie qui sonnait régulièrement dans le travail comme un bruit naturel. » Chez Giono, le travail accompli n'est pas un esclavage mais au contraire une activité qui procure une pleine liberté. Le métier à tisser a été construit à partir d'un bois vivant, le cèdre (l'arbre magnifié dans **Vendredi**), ce qui lui procure une dimension encore plus symbolique.

Le travail permet d'accéder à **une forme d'indépendance** et contribue ainsi à un certain bonheur. Par une indépendance financière, par exemple, le développement du travail féminin a permis la libération de la femme et a contribué à son émancipation sociale et psychologique. Cette notion de travail est d'autant plus à l'ordre du jour que notre société sécrète le chômage qui pour bien des foyers incarne l'image d'une marginalité sociale. Le travail aujourd'hui est réclamé à hauts cris car il permet l'intégration dans une société fortement consommatrice et hautement technologisée

- Le bonheur peut être aussi dans la recherche de **l'harmonie collective** : travailler constitue une participation individuelle au grand corps de la société. Le travail est alors une vertu sociale notamment dans les métiers destinés à apaiser la souffrance humaine ou la misère qu'elle soit économique ou psychologique. Le travail génère ainsi un sentiment de bonheur partagé, et pour ceux qui l'effectuent, et pour ceux qui en profitent, de sorte que l'accomplissement individuel rejoint l'harmonie collective.

II. Le bonheur et l'oisiveté

Le bonheur résulte **d'un art de vivre** qui peut reposer sur **l'oisiveté.** Dans *Vendredi ou les limbes du Pacifique***,** l'absence de travail bouleverse les rapports entre les deux hommes : « Il avait ainsi rajeuni d'une génération [...] Des années durant, il avait été à la fois le maître et le père de Vendredi. En quelques jours il était devenu son frère [...] ». Cette inactivité devient alors libératrice.car elle suscite un nouveau mode de vie et de pensée.

L'art de ne rien faire, le temps gratuit, est une valeur qui n'est pas nouvelle. Déjà Rousseau dans *Les rêveries du promeneur solitaire* évoque l'oisiveté comme **une vertu permettant un contact avec le milieu naturel**. Il s'interroge sur la consistance d'un tel bonheur : « Le précieux farniente fut la première et la principale de ces jouissances que je voulus savourer dans toute sa douceur, et tout ce que je fis durant mon séjour ne fut en effet que l'occupation délicieuse et nécessaire d'un homme qui s'est dévoué à l'oisiveté [...] ». Le bonheur est pour lui une plénitude, une communion avec le cosmos.

La diminution progressive du temps de travail a libéré l'homme d'une servitude permanente de sorte que des plages de temps restent désormais disponibles pour une organisation de sa propre vie tendant vers le loisir. Ce qui est vrai pour l'individu se retrouve dans l'ambition des sociétés modernes de créer un aménagement collectif du loisir, ce qu'il est convenu d'appeler la civilisation du loisir. Paradoxalement, cette organisation du loisir engendre une certaine masse de travail, par exemple pour tous ceux qui sont employés dans les systèmes divers de tourisme. Bien entendu, il est de meilleures formes de haute culture qui valorisent davantage ce temps du loisir comme la création ou la maintenance de musées, de bibliothèques ou de salles de spectacles qui participent au bonheur de la collectivité. La télévision est certainement le produit le plus spectaculaire de l'exploitation économique du temps de loisir : pour le meilleur mais malheureusement parfois pour le pire.

III. Le bonheur, quête perpétuelle et réalisation de soi

Le bonheur **est** tout d'abord **un choix personnel**, une manière de gérer sa propre vie, de satisfaire des besoins élémentaires. Mais il ne peut se réduire à cela. Il va bien au-delà. On peut le trouver dans l'engagement, dans l'intensité de sa vie ou bien dans la passion : ainsi les personnages stendhaliens accèdent au bonheur sous l'emprise de l'amour.

Le bonheur peut s'effectuer dans **la création artistique** qui est dépassement de soi, recherche d'un idéal. Même dans la simple pratique de l'amateur (au sens propre : « celui qui aime ») la démarche créatrice mérite le respect pour le goût de la perfection qu'elle suppose. Il n'en est pas forcément de même dans la haute création littéraire ou artistique qui ne se réalise pas toujours dans une heureuse plénitude : la création ne se fait pas sans difficultés ni souffrances, mais le bonheur est au bout du chemin quand enfin l'artiste a réalisé ce qu'il projetait.

Le bonheur est **une quête perpétuelle**, dans la mesure où il est fragile et relatif : à peine vient-on de l'atteindre qu'il faut retrouver une énergie nouvelle pour le reconquérir. Louis Pauwels exprime cette idée dans *Lettre ouverte aux gens heureux et qui ont bien raison de l'être* :

> Il est difficile d'être heureux. Il faut de l'esprit, de l'énergie, de l'attention, du renoncement et une sorte de politesse qui

est bien proche de l'amour. C'est parfois une grâce d'être heureux. Mais ce peut être, sans la grâce, un devoir. Un homme digne de ce nom s'attache au bonheur, comme au mât par sale temps, pour se conserver à lui-même et à ceux qu'il aime. C'est un devoir d'être heureux. Et c'est une générosité.

B. la dissertation littéraire

Dans *Le Vent Paraclet* 1977 (Folio, p. 229), Tournier dit que Vendredi « sert de guide et d'accoucheur à l'homme nouveau ». Commentez ces propos que vous appliquerez à l'œuvre étudiée *Vendredi ou les limbes du Pacifique* (1967).

Introduction

Le roman considéré comme initiatique est né au 18e siècle en même temps que la franc-maçonnerie ou les sectes apparentées, exemple : *Sethos* (1731) de l'abbé Terrasson. Louis Cellier voit plutôt son origine et son expansion au temps du romantisme : exemple : *Consuelo* (1843) de George Sand. L'expression « roman initiatique » semble appartenir à Louis Cellier, mais c'est Simone Vierne qui en a promu l'étude à partir de l'œuvre de Jules Verne. Dans cette mouvance, on trouve plusieurs auteurs modernes : Julien Gracq (*Le Château d'Argol,* 1938), Alain-Fournier (*Le Grand Meaulnes*, 1912). Et surtout Michel Tournier avec *Vendredi ou les limbes du Pacifique* (1967). Ce dernier, influencé par les théories ethnographiques, notamment celles d'un ethnologue reconnu, Lévi-Strauss, tente d'analyser la coexistence entre deux civilisations représentées par deux personnages fictifs, un sauvage du nom de Vendredi et un Anglais, Robinson, deux visions du monde, deux conceptions qui s'affrontent faisant valoir une suprématie de la culture européenne qui s'inversera par l'ascendant de plus en plus prégnant du prétendu sauvage sur le supposé civilisé.

Dans *Le Vent Paraclet* (1977), Michel Tournier exprime l'idée que Vendredi « sert de guide et d'accoucheur à l'homme nouveau ».

L'auteur insiste sur le rôle déterminant de Vendredi comme initiateur dans la relation qu'il entretient avec Robinson. La double fonction (guide et accoucheur) fait de Vendredi un personnage particulièrement ambivalent.

Nous envisagerons ainsi sa dimension initiatique tout d'abord dans son rôle de guidance* puis « d'accoucheur » pour faire apparaître la nouvelle perspective de Robinson, homme transformé par l'expérience de l'initiation. Nous examinerons *in fine* les vicissitudes de la relation initiatique.

Développement

I. Vendredi : un guide pour Robinson

Vendredi joue un rôle déterminant dans l'évolution de Robinson, celui de guide.

1. Vendredi ou le maître

Vendredi assume **une fonction nouvelle, celle de maître.** Robinson peut alors entreprendre un véritable voyage initiatique sous l'autorité magistrale de Vendredi.

Ce voyage commence à partir de l'explosion de la grotte, lorsque Vendredi aide Robinson à se lever après la destruction symbolique du grand cèdre qui mime d'une manière euphémisée* l'explosion de la grotte : « Il ne devait plus lâcher cette main brune qui avait saisi la sienne pour le sauver au moment où l'arbre sombrait dans la nuit. » (p. 190) Vendredi est bien le guide. Robinson puise en Vendredi un savoir nouveau, celui du Maître dont il est devenu le Disciple. Il prend alors conscience de l'appartenance de Vendredi à un nouvel ordre, différent de l'ordre tellurique* que Robinson lui avait d'abord imposé. Cette guidance* ne se fait pas sans inquiétude, car elle nécessite de la part de Robinson un abandon total vers « une voie inconnue » : « Il flottait désormais, libre et apeuré, seul avec Vendredi. » (p 190) Ce nouveau statut est assumé pleinement par Robinson. En effet, une intime conviction lui fait penser que son compagnon détient un pouvoir caché, « un principe implicite ». La maîtrise de Vendredi s'exprimera par un savoir et un savoir-faire ce qui définit **l'honnête homme** dans les siècles classiques.

2. Vendredi : un maître du temps

La guidance* favorise chez Robinson un **travail d'observation** du nouveau maître et de sa compréhension du monde. Vendredi devient pour Robinson **un maître du temps**, il lui fait reconnaître un autre ordre temporel qui prend ses sources dans la négation du passé et du futur. Seul, l'instant présent est privilégié. Cette libération à l'égard de la temporalité offerte par Vendredi constitue une véritable métamorphose existentielle. Robinson s'est approprié le temps par l'introduction de la clepsydre* qui a rythmé ses moindres gestes, lui fournissant un grand réconfort et lui donnant l'illusion que le temps pouvait être « maîtrisé, régularisé, domestiqué ». Vendredi lui ravit alors cette dimension temporelle pour lui faire comprendre qu'un ordre nouveau est né avec lui.

3. Vendredi : le maître de l'air

Nouveau temps mais aussi autre règne ! Ainsi et désormais, le temps est venu de l'ordre aérien. Vendredi part à la conquête de ce nouvel ordre, au moyen de la confection d'arcs et de flèches soigneusement taillés, non pour la chasse comme on serait tenté de le croire mais bien pour faire voler les traits, le plus haut possible dans les airs et lutter ainsi avec les lois de la pesanteur. Vendredi, dans l'un de ses essais, fait voler très loin une flèche pour la voir disparaître dans la forêt à l'horizontale avec « une énergie nouvelle ». Ce vol des flèches annonce un autre vol encore plus expérimental et éminemment symbolique : celui du bouc Andoar, qui après une lutte mortelle avec Vendredi, se régénère sous la forme d'un cerf-volant métamorphosé en oiseau de couleurs.

Vendredi ouvre aussi la voie d'une lecture nouvelle d'un monde nouveau, et en donne les clés à Robinson pour le décrypter, bouleversant ainsi les concepts du monde ancien.

II. Vendredi acccoucheur de Robinson, l'homme nouveau

Au contact de Vendredi, Robinson subit une véritable métamorphose : il devient autre, abandonnant les scories de l'ancien Robinson pour apparaître en homme libre.

*1. Robinson et l'imago**

Robinson avait déjà pressenti cette mutation future par l'arrêt de la clepsydre qui devait donner jour à une conversion secrète. C'est d'ailleurs l'image de la larve qui lui vient à l'esprit, cette larve [qui] volerait un jour et dégagerait « le Robinson nouveau de la chrysalide* où il dormait encore » (p. 94). De cette larve, Vendredi fera un « insecte parfait », ce qu'on appelle imago* dans le lexique entomologique*, et de Robinson un homme accompli, le vrai Robinson qui se cachait dans la vieille défroque qu'il sera prêt à quitter pour accéder à un nouvel être.

2. Robinson : un homme nouveau

La mutation de Robinson apparaît comme une vraie révolution qu'il porte sur son corps même : il abandonne son aspect physique pour devenir autre : « il avait perdu son aspect solennel et patriarcal, ce côté « Dieu-le-Père [...] Il avait ainsi rajeuni d'une génération » (p. 191). Robinson s'approprie son corps et le livre au culte solaire : « encouragé par Vendredi, il s'exposait nu désormais au soleil [...] de son corps rayonnait une chaleur à laquelle il lui semblait que son âme puisait une assurance qu'elle n'avait jamais connue ». Cette transformation fait de lui un homme neuf prêt à vivre quantités d'expériences et à tenter une reconquête de son corps, maintenant métamorphosé en une sorte de main géante dont « les cinq doigts seraient tête, bras et jambes. » (V p. 192)

3. Robinson, du concert céleste au culte solaire

Vendredi, maître des éléments, poursuit l'apprentissage de Robinson et l'entraîne vers « l'arbre totémique », le cyprès mort, pour « un concert céleste » fascinant, qui met Robinson dans une sorte d'extase symphonique. Vendredi lui révèle cette musique élémentaire qui, loin de la conscience de soi, élève l'âme jusqu'à la grande communion cosmogonique des éléments : « La terre, l'arbre et le vent célébraient à l'unisson l'apothéose nocturne d'Andoar ». Robinson reçoit ainsi la révélation du culte solaire qui le transforme en un véritable « chevalier solaire », « [...] une volée de flèches brûlantes ont percé ma face, ma poitrine et mes mains, et la pompe grandiose de mon sacre s'est achevée tandis que mille diadèmes et mille sceptres de lumière couvraient ma statue surhumaine ». Dans son *log-book**, Robinson se livre à une vaste incantation implorant le dieu-soleil de lui ouvrir la voie de la maîtrise : « Soleil, rends-moi semblable à Vendredi » (p. 217).

Tant de relations aux choses de l'univers révèlent les vicissitudes de la démarche initiatique de Robinson.

III. Les vicissitudes de la relation initiatique

1. *Robinson : un maître malgré lui*

Le processus initiatique aboutit à la **Maîtrise** solitaire. Robinson guidé par Vendredi accède à ce statut unique. L'île tend pareillement vers un autre état que Robinson accepte avec ferveur : « j'ai la certitude — que je découvre à chaque instant [l'île et Vendredi] pour la première fois et que rien ne ternit jamais leur magique nouveauté » (p. 221). Cette fascination apparaît dans une dernière révélation : « la soif de l'humain » quand Vendredi examine avec intensité Robinson comme pour lui insuffler l'ultime Connaissance. À la fin du roman, Robinson se sent capable de déchiffrer les signes énigmatiques, « fils d'un écheveau de significations » dont Vendredi est le centre. Vendredi a compris qu'il fallait abandonner Robinson pour le faire parvenir au dernier degré de la maîtrise, à la fois maîtrise de soi et maîtrise initiatique au service de disciples. Mais cette maîtrise, sorte d'accouchement spirituel, ne se fait pas sans angoisse ni douleur , notamment à la découverte du hamac vide de Vendredi. Robinson désespéré : « [...] trouva un passage [...] à peine plus large qu'une chatière, mais il se sentait si amoindri, si tassé sur lui-même qu'il ne doutait pas de pouvoir s'y insérer », n'espérant plus que la mort, stade suprême de l'état de grâce acquis.

2. *Robinson et le secret initiatique*

Robinson, par Vendredi, accède à la « co-naissance » unique et absolue, que paradoxalement il refuse de transmettre à ceux qui oseraient pénétrer l'enceinte sacrée de l'île. Le monde profane n'est pas en mesure de saisir cette Connaissance. Robinson a maintenant une « jeunesse, minérale, divine et solaire » (p. 246). Le *Whitebird* vient compromettre le subtil équilibre du triangle parfait : Robinson/Vendredi/Speranza. Robinson est voué ainsi à un monde sacré : « Sous le soleil-dieu, Speranza vivrait dans un présent perpétuel, sans passé ni avenir. Il n'allait pas s'arracher à cet éternel instant, posé en équilibre à la pointe d'un paroxysme de perfection, pour choir dans un monde d'usure, de poussière et de ruines ! » Le secret enferme Robinson dans son île, enfermement pleinement assumé. Victime de la solitude à ses débuts, libéré à la fin, Robinson est prêt à faire de Jaan son double qui, comme lui, prend le risque de la solitude partagée.

Conclusion

Vendredi, l'initiateur de Robinson se révèle être un guide, il détient son pouvoir par l'exemplarité de ses actions, médiateur dans ce sauvage univers que lui seul sait déchiffrer et accoucheur d'un autre Robinson apte à instaurer le culte solaire. Chevalier de la lumière, Robinson est né à sa mission nouvelle : défendre l'île immobilisée dans un temps sacré, devenue île mythique. Vendredi lui offre sa propre absence dans un ultime échange, le jeune garçon Jaan assurant la filiation ritualisée par les rythmes du dieu solaire.

Michel Tournier exalte dans son roman *Vendredi ou les limbes du Pacifique*, une grande figure emblématique, il nous donne l'exemple d'un sauvage « ensauvageant » l'Européen Robinson, paradoxe d'une robinsonnade non dénuée d'un certain humour.

C. Autres sujets possibles de dissertations

1. Michel Tournier écrit que « Robinson n'est pas seulement la victime de la solitude, il en est aussi le héros » *Le Vent Paraclet*, 1977, Folio, p. 225. Qu'en pensez-vous ?

2. On a dit du roman de Michel Tournier, *Vendredi ou les limbes du Pacifique,* que ce roman était celui du pessimisme. Qu'en pensez-vous ?

3. Dans *Le Vent Paraclet* (p. 193), Michel Tournier dit que la fonction de l'écrivain est d'empêcher les mythes de devenir des allégories. Pensez-vous que cette idée puisse s'appliquer à *Vendredi ou les limbes du Pacifique* ?

4. Chez Tournier, le destin s'accomplit malgré les intentions des personnages. Commentez ces propos en les appliquant à *Vendredi ou les limbes du Pacifique*.

II. LES ÉPREUVES ORALES

A. La lecture méthodique

Chapitre IV (p. 104-106) « Le lendemain, le même éclair se produisit… Il était suspendu dans une éternité heureuse ».

Introduction

Situation du passage : la grotte revêt pour Robinson une importance nouvelle. Il réalise que l'île n'est plus seulement un domaine à gérer mais une personne, une femme. La grotte acquiert ainsi un statut particulier suscitant chez Robinson des besoins nouveaux de son cœur et de sa chair. Il décide ainsi d'aller plus loin dans son investigation, de découvrir la grotte et d'entrer en osmose avec elle.
Les mouvements du texte :le texte s'organise principalement autour de trois mouvements. Le premier correspond à l'accès vers l'orifice de la cheminée verticale, le deuxième donne une description très détaillée du caveau dans lequel il se trouve, le dernier fait découvrir la présence d'une crypte plus profonde.
La tonalité du texte : le caractère sacré de cette expérience unique confère au texte une certaine solennité.
Les enjeux du texte : ce texte relève de **l'imaginaire symbolique**. On y retrouve les archétypes*jungiens*, c'est-à-dire une série d'images résumant l'expérience ancestrale de l'homme devant une situation typique, à savoir des circonstances qui ne sont pas particulières à un seul individu mais qui peuvent s'imposer à tout homme. Robinson réalise une expérience unique : l'union avec la grotte, symbolique retour à l'état fœtal en la mère retrouvée.

Développement

I. Les épreuves initiatiques

Robinson vit dans **l'utopie** la plus complète : la grotte symbolise bien l'espace ceint qui résonne aussi par homophonie [saint]. C'est dans cet espace que Robinson se retrouve en traversant un certain nombre de **ritèmes initiatiques** que l'on repère aisément dans ce passage :

1. Le silence des tombeaux apparaît étroitement lié à l'utopie. Le lexique, caveau ou crypte, confirme le ritème.
2. Le secret est aussi présent. Robinson a le sentiment de quitter le « vulgaire » pour accéder à une autre dimension « il pressentait le premier seuil de l'au-delà absolu ». Cette accession vers un autre monde passe par la **solennité** : « Il se recueillit vingt-quatre heures encore. Puis il se leva (….) pénétré de la **gravité solennelle** de son entreprise ».
3. L'ambulation : voyage souterrain, retour à l'état fœtal qui prépare la renaissance de Robinson : « Puis il **se leva** […] **se dirigea** vers le fond du boyau. Il n'eut pas à **errer** longtemps pour trouver ce **qu'il cherchait** ».
4. La station qui suppose l'immobilité, moment énigmatique d'attente ou de réflexion qui se traduit dans le texte par le discours indirect libre : « Peut-être fallait-il se soumettre à un jeûne purificateur ? »
5. La désorganisation sensorielle à laquelle est liée le ritème de **l'oubli :** ce peut être l'oubli de ce que l'on a été, de ce que l'on possède, de ce que l'on a pu faire (ou ne pas faire)au profit du devenir. Robinson « **oublia** les limites de son corps […] ». L'oubli de son propre corps lui permet d'entrer en symbiose avec la grotte-mère. Mais pour atteindre cet état, il faut subir une transformation du régime sensoriel :
• **la vue** : « l'obscurité tenait toujours » ; une autre forme de perception apparaît. Robinson substitue un sens à un autre et notamment le toucher ;
• **le toucher** : le lexique offre une certaine richesse dans ce domaine : « parois **polies**,[…] il se livra à une minutieuse **palpation** du caveau […] Le sol était **dur**, **lisse**, étrangement **tiède** mais les parois présentaient de surprenantes **irrégularités** » ;
• **l'odorat** : « Il émanait [de la grosse fleur minérale]un **parfum humide et ferrugineux, d'une réconfortante acidité, avec une trace d'amertume sucrée évoquant la sève du figuier** » ;
• **l'ouïe** : à la grotte est associé le silence. Robinson s'abandonne au silence du recueillement.
6. La désorganisation motrice : pour gagner la crypte, Robinson doit se soumettre à des contorsions multiples, à une reptation compliquée : « l'orifice était si resserré qu'il **demeurait prisonnier à mi-corps** […] Alors il plongea, la tête la première, dans le goulot[…]et après de nombreux essais, il finit par trouver en effet **la position [du] recroquevillé** sur lui-même ».

7. La désorganisation vestimentaire : l'initiation fait tomber les vêtements du commun. La nudité vraie est propre aux initiations archaïques. Robinson n'échappe pas à la règle : « Il **se dévêtit** tout à fait, puis se **frotta le corps avec le lait** qui lui restait ». On retrouve la fonction du fard ou du grimage faisant office de masque initiatique. Robinson abandonne son « ancienne peau » pour renaître autre et autrement.
8. La probation, elle est constituée par l'ensemble des épreuves initiatiques. Ici il s'agit avant tout de l'**épreuve de la terre**, ancestralement préparatoire à la terrible expérience des grands cataclysmes, d'où bibliquement l'on vient et où l'on va. Cette épreuve de la terre, rite de naissance est aussi rite mortuaire.

II. Un univers symbolique

1. La grotte

Les images de la grotte relèvent de l'imagination du repos. La grotte est un refuge, microcosme dans le macrocosme et symbolise le **retour à la mère**. Michel Tournier exploite jusqu'à l'excès l'imaginaire de la grotte, mais il en fait une grotte « d'émerveillement » pour reprendre la terminologie bachelardienne. Aucune angoisse chez Robinson, la grotte est bien rassurante même dans son étrangeté ; elle évoque la rondeur féminine valorisée par tout un **lexique** : « **lisse, tiède, tétons, champignons, éponges, parfaitement poli, lait** ». L'évocation de cette grotte, lieu de l'oubli, de la paix retrouvée (« Robinson était suspendu dans une éternité heureuse ») est marquée par l'écriture même, le choix du **procédé descriptif** constitue bien un temps de pause. **La syntaxe** des phrases, le **rythme volontairement accumulatif** donnent son amplification au passage. La grotte apparaît engrossée dans sa démesure lexicale pour accueillir le nouveau-né Robinson « les genoux remontés au menton, les mollets croisés, les mains posées sur les pieds ». Le passage s'achève sur une image heureuse d'éternité. La grotte permet de retrouver « l'onirisme de l'œuf » qui rappelle d'ailleurs l'image de la chrysalide* chère à Robinson, ou encore **le mythe de Jonas** symbolisé chez Tournier par le « poisson dans l'eau » amniotique du « ventre de Speranza » ; au fond de la grotte, Robinson entre en "une méditation terrestre, [celle] de participer à la vie de la terre, dans le sein même de la Terre maternelle » (Bachelard, *La terre et les rêveries du repos*, éd. José Corti,1948, p. 209).

2. Le labyrinthe

Le labyrinthe apparaît également riche de significations symboliques : « Robinson y **glissa lentement** mais régulièrement **comme le bol alimentaire dans l'œsophage** ». Cette image digestive appartient bien aux grands archétypes* jungiens* : se perdre dans le ventre de la mère passe aussi par **l'image matérielle « du bol alimentaire dans l'œsophage »**. Le labyrinthe évoqué reste avant tout un labyrinthe charnel : « Les parois étaient polies **comme de la chair »**. Les **images et le lexique** se trouvent survalorisés afin d'écarter les sombres évocations de labyrinthes malodorants, par exemple : les égouts évoqués dans *Les Misérables* de Victor Hugo.

Conclusion

Michel Tournier exploite amplement les images telluriques qui préparent Robinson à devenir enfant de la terre. Il accède à un état proche de l'éternité, où vie et mort se rejoignent. Le passage étudié annonce la future conversion de Robinson dans l'exaltation de son corps retrouvé (chapitre IX). Il s'agit bien d'un cheminement initiatique, les images parlent d'elles-mêmes. Tournier manie à foison les archétypes avec trop d'aisance pour que le lecteur averti ne perçoive pas en marge de cet extrait ce que l'auteur nomme « **l'humour blanc** », un humour de caractère métaphysique.

B. Autres lectures méthodiques possibles

Chapitre III (p. 60-62), La nouvelle théorie économique : « Ce qui m'est apparu tout à coup [...] si elle n'était menée que par des hommes vénaux ».
Chapitre IX (p. 191-192), La métamorphose de Robinson : « Son aspect extérieur en avait subi la première atteinte [...] mais aussi un compagnon fidèle et fort ».
Chapitre IX (p. 208-209), Le vol d'Andoar : « Une tourmente s'était levée [...] à l'unisson ».
Chapitre XII (p. 253-254), Le dieu solaire : « L'île qui s'étendait à leurs pieds [...] C'est aussi le dimanche des enfants ».

C. Questions d'entretien

1. Robinson est-il selon vous un personnage mythique ? (cf. p. 46 et 58)

2. Quels sont les principaux mythes que l'on découvre dans *Vendredi ou les limbes du Pacifique* ? (cf. p. 59 à 69)

3. Où Michel Tournier a-t-il pris la source de son inspiration ? (cf. p. 11 et p. 48 à 58)

4. Robinson est-il l'envers de Vendredi ? (cf. p. 25, 32, 61)

5. Que symbolise Speranza pour Robinson ? (cf. p. 63)

6. *Vendredi ou les limbes du Pacifique* est-il un roman initiatique ? (cf. p. 34 à 42)

7. On a dit que *Vendredi ou les limbes du Pacifique* présentait une structure savante. Qu'en pensez-vous ? (cf. p. 29 à 31)

8. Comment expliquez-vous la fuite de Vendredi à la fin du roman ? (cf. p. 83, 84)

9. Pourquoi Robinson ne s'embarque-t-il pas sur le *Whitebird* ? (cf. p. 41)

10. Quelle est la fonction du *log-book* dans *Vendredi ou les limbes du Pacifique* ? (cf.p. 44 à 47)

11. Que signifie, selon vous, la métamorphose de Robinson ? (cf. p. 81 à 84)

12. Pourquoi Michel Tournier a-t-il repris le sujet de *Vendredi ou les limbes du Pacifique* dans *La VIe sauvage* ? (cf. p. 69 à 74)

LEXIQUE

Abandonnique : celui qui souffre de la crainte d'être abandonné.

Adjuvant : ce qui renforce l'action de quelque chose.

Ad Vitam : latin, pour toujours.

Allégorie : narration métaphorique* exprimant une idée abstraite.

Alter ego : un autre moi-même, un ami inséparable.

Amphigourique : confus en parlant d'un style.

Amygdalectomie : ablation des amygdales.

Androgyne : qui tient des deux sexes.

Anthropomorphique : d'apparence humaine.

Antidote : remède contre un mal moral.

Araucarien, Araucan : Indien du sud du Chili.

Arboretum : lieu planté d'arbres.

Archaïque : primitif.

Archétype : modèle idéal.

Avatar : changement.

Baroque : qui est d'une irrégularité bizarre.

Baudrier : écharpe de cuir qui soutient une arme.

Callosité : durcissement de l'épiderme par frottement.

Chrysalide : état de l'insecte entre chenille et papillon ; au figuré, état transitoire avant la perfection

Clepsydre : horloge à eau des Anciens.

Clinique : qui concerne le malade.

Combe : dépression longue et étroite du relief.

Concentrationnaire : relatif aux camps de concentration, de déportation.

Connecteur (argumentatif) : terme de liaison qui introduit une argumentation.

Cosmogonie : théorie de la formation de l'Univers ; au figuré, d'un univers.

Délétère : toxique.

Démiurge : chez Platon, l'ordonnateur du cosmos, architecte de l'Univers.

Démystifier : déjouer une tromperie à caractère général ou collectif.

Démythifier : ôter sa valeur au mythe.

Déontologique : qui se rapporte à des devoirs d'ordre moral.

Dialectique : dans le langage courant, art de raisonner, de discuter, d'argumenter.

Dichotomie : division entre deux éléments opposés.

Diptyque : tableau en deux panneaux ou œuvre littéraire en deux parties.

Économie : organisation de divers éléments ou parties.

Entomologie : étude scientifique des insectes.

Éolien : relatif au vent.

Épigraphe : citation placée en tête d'un livre pour en indiquer l'esprit ou l'objet.

Épilogue : conclusion ou dénouement.

Ethnographie : science descriptive des modes de vie et de leur développement chez les peuples.

Euphémiser : atténuer le sens d'un mot ou d'une expression.

Fictionnel : qui se rapporte à la fiction, construit sur le modèle de fonctionnel.

Gémellité : situation de deux jumeaux ou de deux êtres ou choses semblables.

Géotropisme : orientation de la croissance des organes sous l'action de la pesanteur.

Gigogne(s) : qui s'emboîtent les un(e)s dans les autres (ex : les poupées russes).

Guidance : se dit d'une méthode d'assistance aux enfants ou aux disciples.

Iconoclaste : qui détruit les images ; au figuré, détruire l'image d'un personnage.

Iconographie : ensemble des illustrations d'ouvrages imprimés.

Ignivome : qui vomit du feu (volcan).

Imago : insecte parfait après la larve et la chrysalide.

Inducteur : ce qui induit, qui conduit vers.

Jungien : de Jung, psychanalyste suisse (1875-1961).

Latent : qui demeure caché, qui n'est pas encore déclaré.

Limbes : lieu en bordure des enfers où les âmes justes ainsi que les enfants morts sans baptême attendent la rédemption — plus largement, ce qui est en bordure, au bord, en marge.

Log-book : journal de bord.

Ludique : qui se rapporte au jeu.

Manichéen : qui instaure un dualisme entre le bien et le mal — plus ou moins inspiré du manichéisme antique.

Mandragore : plante dont la racine évoque la forme d'un petit homme (ou homunculus).

Ménologique : qui se rapporte à un calendrier.

Méphitique : se dit d'une exhalaison fétide ou malsaine.

Métaphore : figure qui consiste à donner à un mot un sens dérivé d'une comparaison ou d'une analogie implicite.

Mise en abyme : procédé artistique ou littéraire de répétition en miroir, réduite du sujet ou de l'action.

Monoxyle : fait d'une seule pièce de bois.

Mystique : relatif à une religion, à ses mystères ou à un culte ou une idéologie faisant figure de religion pour les adeptes.

Mythe : récit légendaire transmis par la tradition, souvent à travers des exploits fabuleux, prenant avec le temps des caractères religieux et cherchant à fournir des explications sur des phénomènes naturels ou humains.

Mythique : qui se rapporte au mythe (ci-dessus).

Narcisse : personnage mythologique épris de sa propre beauté qu'il prit plaisir à contempler dans l'eau d'une fontaine au risque d'y périr. Aujourd'hui, homme exclusivement attaché à sa propre image au miroir.

Néophyte : personne en passe d'être pleinement convertie à une doctrine ou à une religion.

Nosologie : qui se rapporte à des maladies spécifiques.

Ontologie : connaissance de l'être en tant qu'être, de l'être en soi.

Ostensoir : pièce d'orfèvrerie servant à exposer l'hostie à l'adoration des fidèles ; au figuré, ce qui est digne d'être admiré.

Outrecuidance : désinvolture, impertinence.

Pécari : sorte de sanglier, cochon sauvage d'Amérique.

Piétiste : fidèle d'un mouvement religieux luthérien préconisant la primauté de la foi personnelle sur le dogme.

Pluranime : néologisme de Tournier qui exprime un accord pluripartite sans unité véritable pour dire le contraire d'unanime qui exprime un consensus collectif.

Prosaïque : commun, banal.

Psychopathologie : étude des troubles mentaux.

Quaker : membre d'un mouvement religieux protestant, anglais et américain, ne reconnaissant ni sacerdoce ni sacrement, profondément pacifiste.

Sarcastique : de caractère railleur et méchant, acerbe et amer.

Sardonique : sarcastique mais avec de la froideur, voisin de satanique.

Schème : structure d'un comportement, d'une conduite systématisée plus ou moins consciente.

Schizoïdique : replié sur soi-même, en rupture avec le réel jusqu'à son occultation (l'oubli).

Scolie : remarque portant sur un texte, une proposition, un théorème.

Souille : bourbier ou le sanglier aime se vautrer.

Spéculatif : qui relève de choses théoriques ou abstraites.

Substratum (latin) : ce qui sert de support à une idée ou une action.

Tavelures : petites taches apparaissant sur la peau.

Tellurique : qui a rapport à la terre.

Transcendant : qui s'élève et élève au-dessus du niveau commun.

Uchronie : en dehors du temps.

Vénusté : beauté digne de Vénus — la déesse latine réputée être sortie de la mer, de l'écume, comme le coquillage qui porte son nom.

Vésanie : folie sans pathologie.

Viatique : provisions données à une personne pour voyager.

BIBLIOGRAPHIE

ÉDITIONS UTILISÉES POUR *ROBINSON*

DEFOE (Daniel), *Robinson Crusoé,* Gallimard, Folio classique, 1950/1996

TOURNIER (Michel), *Vendredi ou les limbes du Pacifique,* Gallimard, Folio, 1972

TOURNIER (Michel), *Vendredi ou la vie sauvage,* Gallimard, Folio junior, 1977

TOURNIER (Michel), « *La fin de Robinson Crusoé* » in *Le Coq de bruyère,* Gallimard, Folio, 1978

TOURNIER (Jean), *Suzanne et le Pacifique,* Grasset, Poche biblio, 1935/1997

AUTRES ŒUVRES SUR *VENDREDI OU LES LIMBES DU PACIFIQUE*

TOURNIER (Michel), *Le Vent Paraclet*, Gallimard, Folio, 1977, p. 9-66, 149-237

TOURNIER (Michel), « *Bref portrait de cinq maîtres* » in *Le Vol du vampire*, Mercure de France, Folio essais, 1981, p. 391-409

ÉTUDES SUR *VENDREDI OU LES LIMBES DU PACIFIQUE*

ROBERT (Marthe), « Robinsonnades et don quichotteries » in Roman des origines et origines du roman, Gallimard tel, 1972, p. 130-233

GENETTE (Gérard), Palimpsestes, Seuil, 1982, p. 514-524

STIRN (François), Hatier, Profil d'une œuvre, 1983

BOULOUMIE (Arlette), Gallimard, Foliothèque, 1991

MAILLARD (Michel), Nathan, Balises, 1993

CABROL-WEBER (Marie-Hélène), Robinson et robinsonnades, Toulouse, EUS, 1993

ÉTUDES SUR MICHEL TOURNIER, L'HOMME ET L'ŒUVRE

« Mihel Tournier » in *Magazine Littéraire* », Paris, n°226, janvier 1986, p. 12-35

MERLLIE (Françoise), *Michel Tournier*, Pierre Belfond, Dossiers, 1988

SUR LE PHÉNOMÈNE INITIATIQUE

VIERNE (Simone), *Rite, roman, initiation,* P.U. de Grenoble, p. 119-123

BRENGUES (Jacques), « Initiation et roman initiatique » in *Iris*, Revue du Centre de Recherche sur l'Imaginaire de Grenoble, n°6/7, 1988-89, p. 81-94

TABLE DES MATIÈRES

Achevé d'imprimer en mars 1998 dans les ateliers de Normandie Roto Impression s.a., 61250 Lonrai
N° d'impression : 980619 Dépôt légal : mars 1998